Español sin barreras

Spanish without barriers

Español sin barreras

Spanish without barriers

Guide to Spanish

in English

Andy Goodall

Guía de español
para hablantes
de inglés

ESPASA

Coordinadora Editorial: Alegría Gallardo
Documentación y redacción de contenidos: Andy Goodall
Asesoría y conceptualización: Patricia Martín Muñoz-Baraja, M.ª Jesús Romo
Diseño de interior: Juan Pablo Rada; adaptación Safekat, S. L.
Diseño de cubierta: Juan Pablo Rada

© De esta edición: Espasa Calpe, S. A., Madrid, 2009

Depósito legal: M. 26.909-2009
I.S.B.N.: 978-84-670-1965-0

Espasa, en su deseo de mejorar sus publicaciones, agradecerá cualquier sugerencia que l
lectores hagan al departamento editorial por correo electrónico: sugerencias@espasa.es

Impreso en España / Printed in Spain
Preimpresión: Safekat, S. L.
Impresión: Unigraf, S. L.

Editorial Espasa Calpe, S. A.
Complejo Ática, Edificio 4
Vía de las Dos Castillas, 33
28224 Pozuelo de Alarcón (Madrid)

El papel utilizado para la impresión de este libro es cien por cien libre
de cloro y está calificado como **papel ecológico**.

Index

Index

Index

Presentation

You have just arrived in Spain looking for new opportunities with your suitcase full of dreams. You have no shortage of enthusiasm, but you know that there is a big challenge ahead: you are in a new country with new customs, a different culture, a different language. How are you going to understand what people say to you, and be understood? How will you understand what you see? We have designed this small Guide to help you get over those first linguistic and cultural barriers, and help you to adapt to Spanish life. That is why we have called it **Spanish without barriers.**

This Guide contains resources and solutions to help you express yourself from the moment that you first arrive and in those situations that you will find yourself in: saying who you are, talking about yourself and your family, asking for directions, looking for accommodation, using public transport, shopping, eating out, going to the bank and the post office, looking for work, asking for help, going to the doctor and doing official paperwork.... We have tried to cover all the most important situations that you are likely to encounter, and the Guide includes all the useful phrases and vocabulary that you will need to be able to communicate and understand what you see and what people say to you.

Throughout the Guide you will find a lot of useful information which will help you to get involved in everyday life in as easy a way as possible: Spanish customs that may seem strange, how to travel cheaply, how to find a flat, the opening hours for shops and public services, information on legal and administrative questions, where to go if you need help etc.

We have divided this Guide into seven major sections, where you find the phrases and the vocabulary that you need for each situation: *Basic Spanish, Travel, Somewhere to stay, Shopping, Services, Emergencies and health* and *Integrating into society*. Each of these sections has its own icon so that it will be easy for you to move around the book and find what you need in order to communicate.

Presentation

When you open any of these sections, you will find these sections:

🐛 **Words you might need.** This is a detailed dictionary of the words that you might need in each situation — the precise word for every moment.

🧠 **What you say.** This is a list of useful phrases to help you to express yourself in various everyday situations. Next to each phrase in English («Can you help me?»), there is a translation in Spanish in bold («¿Me puede ayudar?») and underneath, in grey, a key to help you with the correct pronunciation (*me pwayde ayoodar?*). This feature is designed to give you the most accurate pronunciation possible of the words and phrases... and to help the person that you are speaking to understand you.

🔊 **What you hear.** These are useful phrases that you may need to understand in definite situations, and the possible replies to your questions, general messages that you may hear on the public address system in the train or bus station for example...

👁 **What you see.** These are written messages (posters and signs) that you may see in different situations: in the supermarket, in the train station, on a form, on the road etc...

🅱 **Advice notes.** Practical, relevant notes about social, cultural, administrative and legal issues that affect your everyday life.

And then at the end of the Guide there are two practical annexes:

ℹ️ **Useful information.** This contains general information that will be useful for you: basic details of Spain, the legal and administrative system and how it affects foreigners, and useful addresses (embassies and consulates, bodies that help immigrants, associations of immigrants in Spain).

🔤 **Essential dictionary.** This is a small but complete bilingual dictionary (English-Spanish / Spanish-English), with over 2000 essential words. It doesn't include the specific vocabulary, which you will find in the relevant chapters of the book. For example, all the vocabulary on food is on pages 91-97, of the *Shopping* section.

This Guide is designed to accompany you on your new journey. Put it in your pocket and take it with you everywhere: it will be a good friend.

Pronunciation

The good news is that Spanish is a language that is easy to pronounce in a way that people will understand. It does not have many sounds compared to some other languages, and few of them are difficult to imitate for most people.

And Spanish is written as it sounds. Once you know the basic rules, and there are not very many, you will know how to pronounce every word more or less accurately.

The most difficult sounds, and some ideas to help you master them, are listed below. We have used standard British English for our pronunciation key, as this is the most widely spoken language, and many people are familiar with it.

The most difficult thing is often understanding what people say to you. There are many different regional accents in Spain, and while the vocabulary and grammar is the same, words are pronounced very differently in some parts of the country. In this guide we have used a standard pronunciation that will enable people to understand you in any part of Spain.

Pronunciation key

Spanish is a phonetic language: it is written more or less exactly as it is spoken. Each letter represents an individual sound, and combinations of letters are always pronounced the same way. When you have mastered the simple rules which we list below, people will be able to understand you easily.

■ Vowels

Each vowel has a definite sound, and should be pronounced clearly and fully.

The sound changes depending on whether the syllable is stressed or not. Spanish is a regular language and the stress is always on:

- The final syllable when the word ends in a **vowel** or the letters **n** or **s**.
- The penultimate syllable when the word ends in a **consonant** other than **n** or **s**.

Pronunciation

- If the stress does not follow these rules, there is always an accent on the word telling you which syllable to stress.

Vowel	Symbols in the pronunciation key	Pronunciation
a	a	eg.: *amigo*, like «**a**» in «c**a**t».
e	e	eg.: *pelo*, in an unstressed syllable, like «**e**» in «**e**very».
	ay	eg.: Di**e**go, in a stressed syllable, like the combination «**ay**» in the words «d**ay**» and «s**ay**».
i	i	eg.: *inglés*, in an unstressed syllable, like the letter «**i**» in «**i**n».
	ee	eg.: m**í**, in a stressed syllable, like the combination «**ee**» in «s**ee**» or «b**ee**».
o	oh	eg.: *dió*, in a stressed syllable, like the English «**oh**» in the exclamantion «**Oh**!».
	o	eg.: *obrero*, in an unstressed syllable, like the English «**o**» in «**o**f» or «**o**bject».
u	oo	eg.: *minuto,* in a stressed syllable, like the combination «**oo**» in «t**oo**».
	u	eg.: *sudor,* in an unstressed syllable, like «**u**» in «**u**p» or «**u**mbrella».

When two strong vowels *(a, e, o)* are written next to each other, they are pronounced separately. For this reason in the pronunciation key, when two vowels occur together, we use a hyphen to indicate that they should be pronounced one after the other, not together, eg. «**ae**ropuerto» is written in the pronunciation key as «**a-e**ropwerto».

When a strong vowel and a weak or semi-vowel *(i, u, y)* are written next to each other, a combined sound, or dipthong, can be formed. Usually this sound is very similar to pronouncing the vowels separately, but in some cases a very different sound is created; here is a guide to the most common:

Vowels	Symbols in the pronunciation key	Pronuntiation
e + y	ay	eg.: *ley*, like «**ay**» in «d**ay**».
o + y	oy	eg.: *hoy*, like the English combination «**oy**» in «b**oy**».
u + a	wa	eg.: *agua*, like the combination of English letters «**wa**».
u + e	we	eg.: *bueno*, pronounced like the «**we**» in «**we**lcome».

REMEMBER: These rules are important, but you can pronounce Spanish accurately by reading our pronunciation key as it is written.

■ Consonants

Most consonants are easy to pronounce correctly as they are very similar to the sound represented by the same letter in English, and there are few complications. Where there are two consonants next to each other, both should be pronounced clearly and separately, except in the combinations that we list below. The main ones are:

Consonants	Symbols in the pronunciation key	Pronunciation
b, v	*b, v*	eg.: *Barcelona*, *vale*, are pronounced very similarly by most Spaniards. They will understand you if you pronounce them as in English «**b**all» and «**v**ote».
d	*d*	eg.: *dentro*, is pronounced like the «**d**» in «**d**oor». Note that some Spaniards pronounce it like an English «**th**» in «**think**» at the end of a word, eg. «Madrid» is often pronounced «Madrith».

Pronunciation

Consonants	Symbols in the pronunciation key	Pronunciation
ll	*y*	eg.: *paella*, is not a double «l». It is a separate letter (called «elye», which appears after «l» in some dictionaries). It is pronounced like the English «y» in «you» or «yellow».
ch	*ch*	eg.: *hecho*, is a separate letter, which is listed after «c» in the dictionary. It is pronounced exactly like the same combination of letters in English, eg «chocolate».
ñ	*ny*	eg.: *España*, is a unique Spanish letter pronounced like a combination of the letters **n** and **y** in English.
j	*h*	eg.: *jota*, is pronounced in a similar way to the English «h» in «hello».
h		eg.: *hola*. This letter is never pronounced in Spanish.
r	*r*	eg.: *pero*, is like the English «r» in «read», but is much stronger, and is often rolled. A double «rr» eg «perro» is even stronger.
z	*s*	eg.: *zeta*, is pronounced either like an English «th» in «think» or «s» in «still» depending on the part of the country.
c	*s*	eg.: *gracias*, before the letters **e** or **i** is pronounced either like an English «th» in «think» or «s» in «still» depending on the part of the country.
	k	eg.: *caro*, before the letters **a**, **o** or **u** is pronounced as a hard **c** in English, as in «come» or «cat».

Consonants	Symbols in the pronunciation key	Pronunciation
g	*h*	eg.: *giro*, before the letters **e** or **i** is pronounced like an English «h» in «**h**at», so the common family name «**G**il» is pronounced like the English word «**h**ill».
	g	eg.: *gato*, before the letters **a, o** or **u** is pronounced as a hard **g** in English, as in «**g**o» or «**g**ive».

Spanish people are very open and friendly. They like meeting people and talking — and they will talk about more or less anything. They are usually very animated and use lots of body language to communicate.

The Spanish also use a lot of bodily contact, which some cultures might find too intimate. It is normal for a man and a woman to kiss (once on each cheek) when they are introduced. Two men will usually shake hands, while two women will usually kiss. When you know somebody, it is normal to continue greeting them in the same way (with kisses or handshakes) every time that you meet them.

People, particularly men, also slap each other on the back a lot, and in general, they stand close to each other when they are having a conversation, irrespective of whether they are male or female. ∎

! The Spanish always say «hello» and «goodbye» when entering cafes, waiting rooms, lifts and other such public places, even if they do not know any of the people there.

1 Basic Spanish

1.1 Introducing

Introducing yourself. In the Spanish language there are two words for «you»: the most common is the informal «*tú*», whilst the «*usted*» form is used to show respect and for addressing older people or people who are in some way senior to you.

In informal situations, the Spanish usually introduce themselves by saying their first names. After the introductions, it is normal for two people to kiss each other twice, once on each cheek. This is particularly common between women, but is also common between a woman and a man (although it is possible that they would simply shake hands). Shaking hands is the most common greeting between men, although if they are good friends they will often embrace and slap each other on the back.

In formal situations or at work, a handshake is the most common greeting (irrespective of whether it is a man or a woman). People usually introduce themselves or others using either their family name, or their first and family names together («*Soy el señor González*» – «I am Mr González» or «*Es la señora Martínez*» – «This is Ms Martínez»).

Words you might need

The names of people

I	**yo**	*yo*
you (informal, singular)	**tú**	*tu*
he/she/you (formal, singular)	**el / ella / usted**	*el /eya / usted*
we	**nosotros / nosotras**	*nosotros / nosotras*
you (informal, plural)	**vosotros / vosotras**	*vosotros / vosotras*
they/you (informal, plural)	**ellos / ellas / ustedes**	*eyos / eyas / ustedes*

Your family

grandfather/grandmother	**abuelo/-a**	*abwaylo/-a*
friend	**amigo/-a**	*ameego/-a*
brother/sister	**hermano/-a**	*ermano/-a*
son/daughter	**hijo/-a**	*eeho/-a*
mother	**madre**	*madray*
husband	**marido / esposo**	*mareedo / esposo*
wife	**mujer / esposa**	*mooher / esposa*
uncle/aunt	**tío/-a**	*tee-o/-a*
grandson/granddaughter	**nieto/-a**	*nee-eto/-a*
father	**padre**	*padray*
cousin	**primo/-a**	*preemo/-a*
nephew/niece	**sobrino/-a**	*sobreeno/-a*

Your details

surname	apellido(s)	*apeyeedo(s)*
married	casado/-a	*kasado/-a*
address	dirección	*direcion*
divorced	divorciado/-a	*divorsee-ado/-a*
age	edad / años	*edad/anyos*
nationality	nacionalidad	*nasee-onalidad*
(first) name	nombre	*nombre*
occupation	profesión	*profesion*
country (Jamaica/ India/Kenya)	país (Jamaica / La India / Kenya)	*pa-ees (Hamayka/ La Indee-a, Kenya)*
city/town	ciudad / pueblo	*si-oodad/pweblo*
separated	separado/-a	*separado/-a*
single	soltero/-a	*soltero/-a*
telephone	teléfono	*telefono*
widower/widow	viudo/-a	*vee-oodo/-a*

What you say

My name is ...	**Me llamo ... / Soy ...** *me yamo.../ soy...*
I am Moroccan/from Morocco	**Soy marroquí / de Marruecos** *soy marokee/de marwekos*
I am 34 years old	**Tengo 34 años** *tengo 34 anyos*
I am married/single/separated/ divorced/widowed	**Estoy casado,-a / soltero,-a / separado,-a / divorciado,-a / viudo,-a** *estoy casado,-a / soltero,-a / separado,-a / divorsiado,-a / vee-oodo,-a*
I have three chilren: two sons and one daughter	**Tengo tres hijos: dos hijos y una hija** *tengo tres eehos: dos eehos y una eeha*
I don't have any children	**No tengo hijos** *no tengo eehos*
I am a mechanic/cook/waiter, waitress	**Soy mecánico / cocinera / camarero,-a** *soy mekaniko/kosinera/kamarero,-a*
I work in the construction industry	**Trabajo en la construcción** *trabaho en la konstrucsion*
I am unemployed	**Estoy en paro** *estoy en paro*

What you hear

¿Hablas español?	Do you speak Spanish?
¿Cómo te llamas? / ¿Cuál es tu nombre?	What is your name?
¿Cómo te apellidas? / ¿Cuáles son tus apellidos?	What is your surname?
¿Cuántos años tienes? / ¿Qué edad tienes?	How old are you?
¿Cuál es tu dirección? / ¿Dónde vives?	What is your address?/Where do you live?
¿Cuál es tu teléfono?	What is your phone number?
¿Cuál es tu profesión? / ¿A qué te dedicas?	What do you do?
¿Cuál es tu nacionalidad? / ¿De dónde eres?	What nationality are you? Where are you from?
¿Estás casado,-a / soltero,-a?	Are you married/single?
¿Tienes hijos? ¿Cuántos/-as?	Do you have any children? How many?

1.2 Saying «hello» and «goodbye»

■ **Saying «hello».** In friendly relationships and when speaking to young people, it is normal to use the colloquial expression «¡Hola!» (Hi!). In more formal contexts it is better to use more courteous forms: «*Buenos días*» (Good day), in the morning (from 7am to 2pm); «*Buenas tardes*» (Good afternoon), in the afternoon (from 3pm to 9pm); and «*Buenas noches*» (Good night!) (From 9pm until midnight).

What you say

Hi!	**¡Hola!**
	ola!
Good day!	**¡Buenos días!**
	bwenos dee-as!
Good afternoon!	**¡Buenas tardes!**
	bwenas tardes!
Good evening!	**¡Buenas noches!**
	bwenas nochays!
My name is [your name]. And you?	**Me llamo [nombre], ¿y tú / usted?**
	me yamo [nombre], ee tu / usted?

How are you?	¿Qué tal estás (tú) / está (usted)?
	kay tal estas (too) / esta (usted)
Very well, thanks, and you?	[Muy] bien, gracias, ¿y tú / usted?
	[mwee] bee-en, grasee-as, ee too/usted?
I'd like to introduce you to my husband/wife/son/daughter/brother/sister/friend	Te / le presento a mi marido / mujer / hijo/-a / hermano/-a / amigo/-a
	te/le presento a mi marido/mooher/eeho/-a, ermano/-a/ameega/-a
This is my husband, wife, son, daughter, brother, sister, friend	Este/-a es mi marido / mujer / hijo /-a / hermano,-a / amigo,-a
	este/-a es mi marido/mooher/eeho, -a/ermano,-a/ameego,-a
Pleased to meet you	Encantado,-a / Es un placer / Mucho gusto
	enkantado,-a/es un plaser/mucho gusto
Pleased to meet you too	El gusto es mío
	el gusto es mee-o

■ Saying «goodbye» 🖐

What you say

Goodbye	¡Adiós!
	adee-os!
See you	¡Hasta luego! / ¡Hasta la vista! / ¡Nos vemos!
	asta lwaygo!/asta la vista!/nos vemos!
See you soon	¡Hasta pronto!
	asta pronto!
See you tomorrow/around	¡Hasta mañana! / ¡Hasta otro día!
	asta manyana!/asta otro dee-a!
I'll call you	Te llamo
	te yamo

> **!** When a Spanish person uses a phrase like «Hasta luego», «Nos vemos», «Ya hablaremos» or «Nos llamamos» they are not committing themselves to call you or to speak to you. These are just standard phrases, which should not be understood literally. Sometimes they only indicate that somone is going to think about something, that they need more time or that they prefer to leave something open.

1 Basic Spanish

1.3 Being polite

Saying thank you

What you say

Thank you	**Gracias / muchas gracias / muchísimas gracias**
	grasee-as/muchas grasee-as/mucheesimas grasee-as
That's very nice of you	**Es usted muy amable**
	es usted mwee amable
No, thank you	**No, gracias**
	no, grasee-as
No, really	**No, se lo agradezco**
	no, se lo agradesko
Don't mention it	**De nada / No hay de qué**
	de nada/no eye de kay
Please	**Por favor**
	por favor
I'd be happy to	**Con mucho gusto**
	kon mucha gusto
Please don't bother	**No se moleste**
	no se moleste

Saying sorry. Using the phrases «*Disculpe*», «*Perdón*» and «*Perdone*» is very common, not only for saying sorry, but also as a way of opening a conversation with someone that you don't know, for example if you want to ask them something, or if you want to get past them on a bus.

What you say

Excuse me	**Perdón / Perdone (usted) / Perdona (tú)**
	perdon/perdone (usted)/perdona (tu)
Excuse me	**Disculpe (usted) / Disculpa (tú)**
	diskulpe (usted)/Diskulpa (tu)
I'm sorry	**Lo siento**
	lo see-ento
I'm very sorry	**Lo lamento**
	la lamento

It was an accident	**Ha sido sin querer**
	a seedo sin kerer
I'm sorry to trouble you	**Siento molestarle**
	see-ento molestarle

What you hear

No se preocupe	Don't worry
No importa	It isn't important
Le puede pasar a cualquiera	It could happen to anyone

1.4 Affirmation and negation

■ Affirmation

What you say

Yes	**Sí**
	see
Of course	**Claro / Por supuesto**
	claro/por supwesto
OK	**De acuerdo**
	de akwerdo
Something	**Algo**
	algo
I believe so	**Creo que sí**
	kray-o kay see
I think so	**Pienso que sí**
	pee-enso kay see
I know	**Sé que sí**
	say kay see
I understand	**Entiendo**
	entee-endo
Could be	**Puede ser**
	pwayde ser
It's true	**Es verdad**
	es verdad
Perhaps	**Quizás si**
	keesas si
I'm sure	**Estoy seguro-a**
	estay seguro/-a

1 Basic Spanish

■ **How to be negative.** The Spanish like to be polite, so when you want to say «*No*», it is always better to say «*No, gracias*» than simply «*No*».

What you say

No	**No**
	no
No way	**De ningún modo / Para nada**
	de ningoon modo/para nada
I don't agree	**No estoy de acuerdo**
	no estoy de akwerdo
Never	**Jamás / nunca**
	hamas/nunka
Nothing	**Nada**
	nada
None	**Ningún.../ninguno-a**
	ningoon.../ningoono-a
Nobody	**Nadie**
	nadee-e
Not even	**Ni siquiera**
	nee sikee-era
I don't believe it	**No creo**
	no kray-o
I don't think so	**No pienso**
	no pee-enso
I don't know	**No sé**
	no say
I don't understand	**No entiendo**
	no entee-endo
I don't speak Spanish	**No hablo español**
	no ablo espanyol
That isn't possible	**No puede ser**
	no pwayde ser
That isn't true	**No es verdad / Es falso /**
	No es cierto
	no es verdad/es falso/no es see-erto
Perhaps not	**Quizás no**
	keesas no
I'm not sure	**No estoy seguro/-a**
	no estoy seguro/-a

1.5 Questions and exclamations

■ **How to ask a question.** Questions like «¿*Qué?*» and «¿*Cómo?*» are not just used in order to ask a question. They are also used to show that someone has not understood what we said and wants us to repeat it.

What you say

What?	**¿Qué?**
	kay?
What is this?	**¿Qué es esto?**
	kay es esto?
What does this word mean?	**¿Qué significa esta palabra?**
	kay signifika esta palabra?
What time is it?	**¿Qué hora es?**
	kay ora es?
When does the train/bus leave?	**¿A qué hora sale el tren / el autobús?**
	a kay ora sale el tren/el owtobus?
Why?	**¿Por qué?**
	por kay?
Why aren't there any buses today?	**¿Por qué no hay autobuses hoy?**
	por kay no eye owtobuses oy?
When?	**¿Cuándo?**
	kwando?
When does this shop open?	**¿Cuándo abre esta tienda?**
	kwando abre esta tee-enda?
How much?	**¿Cuánto?**
	kwanto?
How much is it?	**¿Cuánto es?**
	kwanto es?
Who?	**¿Quién?**
	kee-en?

> **!** You can also use «¿*Qué?*» and «¿*Cómo?*» as expressions of surprise in reaction to something that you have just been told. This is a way of asking for more information or an explanation. For example:
> —*Hay huelga de metro* (The underground is on strike).
> —*¿Qué?* (What?)
> —*Empieza a las ocho de la mañana hasta las ocho de la tarde, tenemos que ir en autobús* (It starts at 8 in the morning and continues until 8 at night; we'll have to go by bus).

1 Basic Spanish

Who is in charge?	¿Quién es el encargado?
	kee-en es el enkargado?
Where?	¿Dónde?
	donde?
Where is the train station?	¿Dónde está la estación de tren?
	donde esta la estasion de tren?
Which way should I go?	¿Por dónde debo de ir?
	por donde debo de ir?
Which?	¿Cuál? ¿Cuáles?
	kwal? kwales?
Which bus goes to the centre?	¿Cuál es el autobús que va al centro?
	kwal es el owtobus que va al sentro?
How?	¿Cómo?
	komo?
How do I get to the town hall?	¿Cómo puedo ir al ayuntamiento?
	komo pwaydo ir al ayuntamee-ento?
How do you say «apple» in Spanish?	¿Cómo se dice «apple» en español?
	komo se deese «apple» en espanyol?

Exclamations. Most Spanish exclamations begin with «¡Qué!».

What you say

That's beautiful!	¡Qué bonito!
	kay boneeto!
That's so ugly!	¡Qué feo!
	kay fay-o!
This is delicious!	¡Qué rico!
	kay reeko!
What a disaster!	¡Qué horror!
	kay orror!
That is lucky!	¡Qué suerte!
	kay swerte!
That is stupid!	¡Qué tontería!
	kay tonteree-a!

> There are some expressions such as «¡Qué tontería!» that are used to say that something is not important; it does not always mean that you think what the other person is saying is stupid. The expression «¡Qué lío!» is often used when there is confusion about what people are hearing.

What a mess!	¡Qué lío!
	kay lee-o!
How embarrassing!	¡Qué vergüenza!
	kay vergwensa!
What a shame!	¡Qué pena!
	kay pena!
That is so annoying!	¡Qué fastidio!
	kay fastidee-o!
What a noise!	¡Qué ruido!
	kay roo-eedo!
It is marvellous!	¡Es maravilloso!
	es maraveeyoso!

1.6 Asking for help and information

■ **Making people understand you.** If you have to speak to someone you don't know to ask about something, it is best to begin your question with an expression like «*Por favor*», «*Perdone*» or «*Disculpe*». You should also say goodbye with a polite «*Gracias*» when somebody has given you information, or even when they have said «*No lo sé* (I don't know)».

What you say

Excuse me, can you help me?	Por favor / perdone, ¿me puede ayudar?
	por favour/perdone, me pwayde ayudar?
I'm sorry. I don't speak Spanish very well. Can you understand me?	Lo siento, no hablo bien español. ¿Me entiende usted?
	lo see-ento, no ablo bee-en espanyol. Me entee-ende usted?
Do you speak any other languages - English, French...?	¿Habla usted otra lengua: inglés / francés...?
	abla usted otra lengwa: ingles/franses?
I'm sorry, could you repeat that, please?	Por favor, ¿podría repetirlo?
	por favour, podree-a repetirlo?
Could you speak more slowly, please?	¿Podría hablar más despacio, por favor?
	podree-a ablar mas despasee-o, por favor

1 Basic Spanish

Could you draw/write/show me that, please?	**¿Me lo podría dibujar / escribir / mostrar por señas?**
	me lo podree-a dibuhar/eskribir/-mostrar por senyas?
Sorry, would you write the address for me here?	**Por favor, ¿le importaría escribirme aquí la dirección?**
	por favour, le importaree-a eskribirme akee la direcsion?
What does this word mean?	**¿Qué significa esta palabra?**
	kay signifika esta palabra?
How do you say «orange» in Spanish	**¿Cómo se dice «orange» en español?**
	komo se deese: «orange» en espanyol?
How do you pronounce that?	**¿Cómo se pronuncia?**
	komo se pronunsee-a?
Are you Mrs Gómez/Mr Gómez?	**¿Es usted la señora Gómez / el señor Gómez?**
	es usted la senyora Gomes/el senyor Gomes?
Excuse me, could you tell Mr Martínez that I am here, please?	**Por favor, ¿puede decirle al señor Martínez que estoy aquí?**
	por favour, pwayde deseerle al senyor Martines que estoy akee?
Sorry, could you tell me when the banks open?	**Perdone, ¿podría decirme cuándo abren los bancos?**
	perdone, podree-a deseerme kwando abren los bankos?

What you hear

¿Le puedo ayudar?	Can I help you?
¿Qué desea usted?	What would you like?
¿Buscaba a alguien / algo?	Are you looking for someone/something

1.7 Basic descriptions

■ **Describing people**

Words you might need

tall	**alto/-a**	*alto/-a*
short	**bajo/-a**	*baho/-a*

ugly	feo/-a	*fayo/-a*
thin/slim	flaco,-a / delgado,-a	*flako,-a/delgado,-a*
fat	gordo/-a	*gordo/-a*
big	grande	*grande*
good looking	guapo/-a	*gwapo/-a*
young	joven	*hoven*
average	mediano/-a	*medee-ano/-a*
dark	moreno/-a	*morayno/-a*
red-headed	pelirrojo/-a	*peliroho/-a*
small	pequeño/-a	*pekenyo/-a*
blond	rubio/-a	*rubee-o/-a*
old	viejo/-a	*vee-eho/-a*

◼ Describing things

Words you might need

Shapes		
stretched	alargado/-a	*alargado/-a*
square	cuadrado/-a	*kwadrado/-a*
oval	ovalado/-a	*ovalado/-a*
rectangular	rectangular	*rektangoolar*
round	redondo/-a	*redondo/-a*
Sizes		
high	alto/-a	*alto/-a*
wide	ancho/-a	*ancho/-a*
low	bajo/-a	*baho/-a*
tight	estrecho/-a	*estrecho/-a*
fine	fino/-a	*feeno/-a*
big	grande	*grande*
thick	grueso/-a	*grwayso/-a*
average	mediano/-a	*medee-ano/-a*
small	pequeño/-a	*pekenyo/-a*
Colours		
yellow	amarillo/-a	*amareeyo/-a*
blue	azul	*asul*
white	blanco	*blanko*
chestnut	castaño/-a	*kastanyo/-a*
grey	gris	*grees*
mauve	malva	*malva*
brown	marrón	*marron*

1 Basic Spanish

orange	**naranja**	*naranha*
black	**negro/-a**	*negro/-a*
red	**rojo/-a**	*roho/-a*
pink	**rosa**	*rosa*
green	**verde**	*verde*
Intensity		
light	**claro,-a / pálido,-a**	*claro,-a/palido,-a*
dark	**oscuro/-a**	*oskuro/-a*
Patterns and textures		
checked	**a cuadros**	*a kwadros*
striped	**a rayas**	*a rayas*
rough	**áspero/-a**	*aspero/-a*
patterned	**estampado/-a**	*estampado/-a*
smooth	**liso/-a**	*leeso/-a*
soft	**suave**	*swave*
Materials		
of cotton	**de algodón**	*de algodon*
of cardboard	**de cartón**	*de karton*
of glass	**de cristal**	*de kristal*
of leather	**de cuero**	*de kwero*
of wool	**de lana**	*de lana*
of metal	**de metal**	*de metal*
of gold	**de oro**	*de oro*
of plastic	**de plástico**	*de plastiko*
of silver	**de plata**	*de plata*
of cloth	**de tela**	*de tela*
Appearance and state		
beautiful	**bonito/-a**	*boneeto/-a*
ugly	**feo/-a**	*fayo/-a*
new	**nuevo/-a**	*nwayvo/-a*
old	**viejo/-a**	*vee-eho/-a*

What you say

I am/he/she is tall/short/average height	**Soy/Es alto,-a / bajo,-a / de estatura mediana** *soy/es alto,-a/baho,-a/de estatura medee-ana*
I am/he/she is dark/blond/chestnut	**Soy / Es moreno-a / rubio,-a / castaño,-a** *soy/es moreno,-a/rubee-o,-a/kastanyo,-a*

I have/he/she has long/short/curly/straight hair	Tengo / tiene el pelo largo / corto / rizado / liso
	tengo/tee-ene el pelo largo/korto/risado/leeso
I have/he/she has brown/black/green/blue eyes	Tengo / Tiene los ojos marrones / negros / verdes / azules
	tengo/tee-ene los ohos marrones/negros/verdes/asules
I wear/he/she wears glasses	Llevo / Lleva gafas
	yevo/yeva gafas
My bag/my wallet is made of leather/cloth/plastic	Mi bolso/mi cartera es de piel / tela / plástico
	mi bolso/mi kartera es de pee-el/tela/plastika

1.8 Directions and finding your way around

Asking for directions

Words you might need

Spanish	español	*espanyol*
on the right/left	a la derecha / izquierda	*a la derecha/iskee-erda*
at the end	al final	*al final*
at the side	al lado	*al lado*
avenue	avenida	*aveneeda*
street	calle	*ka-yay*
go via (the street/motorway)	ir por (la calle / la carretera)	*ir por (la ka-yay/ la karretera)*
junction	cruce	*kroose*
to cross	cruzar	*krusar*
turn around	dar la vuelta	*dar la vwelta*
the other side of the street	el otro lado de la calle	*el otro lado de la ka-yay*
on the corner	en la esquina	*en la eskeena*
opposite	enfrente	*enfrente*
turn	girar / torcer	*hirar/torser*
until	hasta	*asta*
square	plaza	*plasa*
first/second	primero,-a / segundo,-a	*preemero,-a/segundo,-a*
bridge	puente	*pwente*
straight	recto	*rekto*

| traffic light | **semáforo** | *semaforo* |
| signal/sign | **señal** | *senyal* |

What you say

How do I get to the centre of the city?	**¿Cómo puedo llegar al centro de la ciudad?** *komo pwaydo yegar al sentro de la si-oadad?*
Excuse me, where is calle Cervantes?	**Disculpe, ¿la calle Cervantes?** *diskulpe, la ka-yay Cervantes?*
Which way should I go?	**¿En qué dirección tengo que ir?** *en kay direcsion tengo kay ir?*
Is this the road to Granada?	**¿Es esta la carretera de Granada?** *es esta la karretera de Granada?*
Am I on the right route to the bus station?	**¿Voy bien para la estación de autobuses?** *voy bee-en para la estasion de owtobuses?*
Can you show me on the map?	**¿Me lo puede indicar en el mapa?** *me lo pwayde indikar en el mapa?*
Can you show me using signs?	**¿Me lo puede indicar por señas?** *me lo pwayde indikar por senyas?*
Can you draw it on this bit of paper?	**¿Me lo podría dibujar en este papel?** *me lo podree-a dibuhar en este papel?*
Thanks for your help	**Gracias por su ayuda** *grasee-as por su ayooda*

What you hear

A la derecha / izquierda	*On the right/left*
Siga recto	*Go straight ahead*
Gire / tuerza	*Turn*
Lejos / cerca	*Far/near*
Aquí / ahí / allí	*Here/there/there*

1.9 The calendar: dates, seasons and the time

The days of the week

Words you might need

Monday	lunes	loones
Tuesday	martes	martes
Wednesday	miércoles	mee-erkoles
Thursday	jueves	wayves
Friday	viernes	vee-ernes
Saturday	sábado	sabado
Sunday	domingo	domingo

The months of the year

Words you might need

January	enero	enero
February	febrero	febrero
March	marzo	marso
April	abril	abril
May	mayo	mayo
June	junio	hunee-o
July	julio	hulee-o
August	agosto	agosto
September	septiembre	septee-embre
October	octubre	oktubre
November	noviembre	novee-embre
December	diciembre	disee-embre

The seasons. In Spain the seasons are spring (March, April, May), summer (June, July, August), autumn (September, November, December) and winter (December, January, February) and there are big differences in the weather during the different seasons; there are also big differences in weather between the different parts of the country.

Words you might need

spring	primavera	preemavera
summer	verano	verano

autumn	**otoño**	*otonyo*
winter	**invierno**	*invee-erno*

■ Telling the time

Words you might need

day	**día**	*dee-a*
afternoon	**tarde**	*tarde*
night	**noche**	*noche*
early morning	**madrugada**	*madrugada*
dawn	**amanecer**	*amanecer*
dusk	**anochecer**	*anochecer*
yesterday	**ayer**	*ayer*
today	**hoy**	*oy*
tomorrow	**mañana**	*manyana*
the day after tomorrow	**pasado mañana**	*pasado manyana*
week	**la semana**	*la semana*
the weekend	**el fin de semana**	*el fin de semana*
last week	**la semana pasada**	*la semana pasada*
next week	**la semana próxima /**	*la semana proxima/*
	la semana que viene	*la semana kay vee-ene*
year	**el año**	*el anyo*
last year	**el año pasado**	*el anyo pasado*
next year	**el año próximo /**	*al anyo proximo/*
	el año que viene	*el anyo kay vee-ene*

What you say

What date is it?	**¿A qué estamos hoy?**
	a kay estamos oy?
It is the 3ʳᵈ of October 2005	**Hoy es martes 3 de octubre de 2005**
	oy es martes 3 de octubre de 2005
I'm not working tomorrow because it is a public holiday	**Mañana no trabajo porque es fiesta**
	manyana no trabaho porkay es fee-esta
This week I'm only working in the afternoons	**Esta semana trabajo sólo por las tardes**
	esta semana trabaho solo por las tardes
Yesterday it was a year since I came to Spain	**Ayer hizo un año que llegué a España**
	ayer eeso un anyo que yaygay a Espanya
My father is coming next year	**El año próximo vendrá mi padre**
	el anyo proximo vendra me padre

1.10 The time

■ Asking about and telling the time

Words you might need

Hours	hora(s)	*ora(s)*
one am/pm	**La una (de la madrugada / de la tarde)**	*la una (de la madrugada/ de la tarde)*
two am/pm	**Las dos (de la madrugada / de la tarde)**	*las dos (de la madrugada/ de la tarde)*
three am/pm	**Las tres (de la madrugada / de la tarde)**	*las tres (de la madrugada/ de la tarde)*
four am/pm	**Las cuatro (de la madrugada / de la tarde)**	*las kwatro (de la madrugada/ de la tarde)*
five am/pm	**Las cinco (de la madrugada / de la tarde)**	*las sinko (de la madrugada/ de la tarde)*
six am/pm	**Las seis (de la mañana / de la tarde)**	*las says (de la manyana/ de la tarde)*
seven am/pm	**Las siete (de la mañana / de la tarde)**	*las see-ete (de la manyana/ de la tarde)*
eight am/pm	**Las ocho (de la mañana / de la tarde)**	*las ocho (de la manyana/ de la tarde)*
nine am/pm	**Las nueve (de la mañana / de la noche)**	*las nwayve (de la manyana/ de la noche)*
ten am/pm	**Las diez (de la mañana / de la noche)**	*las dee-es (de la manyana/ de la noche)*
eleven am/pm	**Las once (de la mañana / de la noche)**	*las onsay (de la manyana/ de la noche)*
twelve o'clock midday/midnight	**Las doce (de la mañana / de la noche)**	*las dosay (de la manyana/ de la noche)*
Minutes	minuto(s)	*minooto(s)*
exactly	**en punto**	*en punta*
five past	**y cinco**	*y sinko*
ten past	**y diez**	*y dee-es*

> **!** As in all other European Union countries, Spain has winter and summer time. Summer time begins on the final Sunday in March, at which point you should put your watch forward one hour. Winter time begins on the last Sunday in October, and you should put your watch back one hour. The change in the time is always done very early in a Sunday morning, and it is publicised in all the media.

quarter past	y cuarto	*y cwarto*
twenty past	y veinte	*y vaynte*
twenty-five past	y veinticinco	*y vaynteesinko*
half past	y media	*y medee-a*
twenty-five to	menos veinticinco	*menos vaynteesinko*
twenty to	menos veinte	*menos vayntee*
quarter to	menos cuarto	*menos kwarto*
ten to	menos diez	*menos dee-es*
five to	menos cinco	*menos sinko*
Second(s)	segundo(s)	***segundo(s)***

What you say

What time is it, please?	**Por favor, ¿qué hora es?**
	por favour, kay ora es?
It is one o'clock (in the morning/afternoon)	**Es la una (de la madrugada / de la tarde)**
	es la una (de la madrugada/de la tarde)
It is two/three/four o'clock (in the morning/afternoon at night)	**Son las dos / las tres / las cuatro... (de la mañana / de la tarde / de la noche)**
	son las dos/las tres/las kuatro... (de la manyana/de la tarde/de la madrugada)

1.11 The weather

■ **The weather.** The hottest months in Spain are June, July, August and the first half of September; the coldest months are January, February and the first part of March. However there are big differences between the north, centre and south of the country, and between the coasts and inland. The north is cold and wet, the centre has extreme temperature changes (low in winter and high in summer) and the south is dry and hot, with temperatures over 40° in summer. The Mediterranean coast generally has a milder climate, whilst the Canary Islands enjoy a pleasant tropical climate all year round, with hardly any differences between winter and summer.

Words you might need

oppressive	**bochorno**	*bochorno*
heat	**calor**	*kalor*

cold	frío	*free-o*
to hail	granizar	*granisar*
hail stones	granizo	*graniso*
to freeze	helar	*elar*
ice	hielo	*ee-elo*
to rain	llover	*yover*
rain	lluvia	*yoovee-a*
to snow	nevar	*nevar*
snow	nieve	*nee-eve*
fog	niebla	*nee-ebla*

What you say

What is the weather like?	**¿Qué tiempo hace?**
	kay teempo ase?
It is (very) cold	**Hace (mucho) frío**
	ase (mucho) free-o
It is (very) hot	**Hace (mucho) calor**
	ase (mucho) kalor
It is very oppressive	**Hace bochorno**
	ase bochorno
It is raining	**Está lloviendo / llueve**
	esta yovee-endo/ywayve
It is snowing	**Esta nevando / nieva**
	esta nevando/nee-eva
It is hailing	**Está granizando / graniza**
	esta granisando/graneesa
It is freezing	**Está helando / hiela**
	esta elando/ee-ela

Travel

Spain has a well developed transport network that connects the different parts of the peninsula and the islands (the Balearics and the Canaries) and the north of Africa. If you need to get from one place to another there are many alternatives —bus, train, plane, boat etc— and you will find information on them all in this chapter.

There is a wide range of urban transport available depending on the size of the town or city where you live. All Spanish cities have a local bus network, and regional capitals such as Madrid, Barcelona, Valencia and Bilbao also have an underground network (metro) with various lines.

The national road network is extensive and there are many toll-free motorways (with two or three lanes) and toll motorways connecting all the regional capitals. ▉

 The tram is a form of urban transport that virtually disappeared in the 60s, but which is now coming back into fashion and is operating in several Spanish cities.

2.1 Entering the country

■ **At Customs.** In Spain, the *Guardia Civil* (Civil Guard), a type of national police force, is responsible for permitting people to enter the country. They wear green uniforms.

What you say

I'm sorry, I don't understand	**Lo siento, no entiendo**
	lo see-ento, no entee-endo
Could you repeat that, please?	**¿Puede repetir?, por favor**
	pwayde repetir, por favor?
I need an interpreter	**Necesitaría un intérprete**
	nesesitaree-a un interprete
I have nothing to declare	**No tengo nada que declarar**
	no tengo nadá kay declarar
Can I close my bag?	**¿Puedo cerrar mi equipaje?**
	pwaydo serrar mi ekipahe?
All these things are for personal use	**Sólo llevo objetos de uso personal**
	solo yevo obhetos de uso personal
Is that all?	**¿Ya está?**
	ya esta?
Where is the taxi rank/bus stop?	**¿Dónde está la parada de taxis / de autobús?**
	donday esta la parada de taxis/owtobus?

What you hear

Enséñeme la documentación	Show me your papers, please
Su pasaporte, por favor	Your passport, please
Su apellido, nombre, dirección	What is your name and address?
¿Tiene algo que declarar?	Do you have anything to declare?
Abra esta bolsa / esta maleta	Open this bag/suitcase, please
¿Qué hay en estos paquetes?	What is in these packets?
¿Tiene más equipaje?	Do you have any other luggage?

What you see

Aduana	Customs
Artículos para declarar	Goods to declare

Control de pasaporte	Passport control
Guardia Civil	Police
Paso de la frontera	Border crossing point
Policía	Police
Salida	Exit

2.2 Moving around your area

■ **Moving around cheaply.** Many cities have discounts available that let you get around more cheaply. There are usually two types of discount:

• **Per journey.** These are special tickets that let you make a specific number of trips (usually 10) at a cheaper price than buying a ticket each time you travel. You buy them straight from the ticket window and don't need to provide any additional documentation.

• **For a period of time.** These tickets give you the right to use the various forms of local transport as many times as you want during a limited period of time (normally one month). They are called «*abonos transporte*» (travel passes), and there are various types and prices depending on the form of transport and the area they cover. There are two elements and you need to use them together: A TARJETA DE USUARIO, (a User's ID card) which you need to get the first time that you buy a pass, and a CUPÓN MENSUAL (monthly pass), which is a ticket that you have to buy each month. In some cities they have bus and local transport passes that you can recharge in automatic cash machines at the bank.

Both of these types of discount are very practical, particularly if you are going to be using public transport frequently, and they are always cheaper than paying each time you travel. Find out the exact details at your local public transport office or station, as there are many differences between different areas.

Words you might need

single ticket	**billete sencillo**	*beeyete senseeyo*
return ticket	**billete ida y vuelta**	*beeyete eeda ee vwelta*
10 ticket pass	**billete de 10 viajes**	*beeyete de dee-es vee-ahes*

 The **abono transportes** (travel pass) is a personal document and only you can use it. The first time you buy one, you need to get a TARJETA DE USUARIO (User's ID card) as well. In order to do this you need a passport photo and an official document that shows your identity (passport, etc.).

monthly travel pass	**abono transportes mensual**	*abono transportes menswal*
pass	**bono**	*bono*
transport pass	**bonotransporte**	*bono transporte*
bus pass	**bonobús**	*bonobus*
underground pass	**bonometro**	*bonometro*
discount	**descuento**	*deskwento*

What you say

I'd like a travel pass, please	**Por favor, quiero hacerme el abono transportes**
	Por favor, kee-ero asermee el abono transportes
I'd like a monthly ticket, please	**Quiero el cupón de transporte de este mes**
	kee-ero el koopon de transporte de estay mes
A 10 trip ticket, please	**¿Me da un billete de 10 viajes?**
	me da un beeyete de dee-es vee-ahes?

■ **Local buses.** Most Spanish towns have a number of local bus routes, which are identified by numbers. This is a cheap way of getting around in your town and beyond. Their speed and punctuatlity depend on the traffic, but in some cities there are «bus lanes» to alleviate this problem. Most buses only operate during the day although some cities also have night buses, which are called «*búhos*» (owls).

Words you might need

bell	**timbre**	*timbray*
bus timetable	**horario de autobuses**	*orare-eo de owtobuses*
conductor	**conductor**	*konduktor*

> **!** You can buy tickets for local buses direct from the driver when you get on. If you don't have a travel pass make sure that you take some small change as the driver will not accept notes bigger than 5 €. Keep your ticket until you get off in case an inspector asks to see it.
>
> If you have a monthly or 10 trip pass, you must stamp it in the machine next to the driver when you get on. It is important that you do this, because if you don't, you may have to pay a fine.

emergency exit	**salida de emergencia**	*saleeda de emerhensee-a*
exact fare	**importe exacto**	*importe exakto*
fine	**multa**	*multa*
inspector	**revisor**	*reveesor*
local bus	**autobús urbano**	*owtobus urbano*
map	**plano**	*plano*
night bus	**búho**	*boo-o*
passenger	**pasajero**	*pasahero*
stop	**parada**	*parada*

What you say

Excuse me, where can I catch the number 8 bus?	**Por favor, ¿dónde puedo coger el autobús número 8?**
	Por favor, donde pwaydo koher el owtobus ocho?
Which bus goes to...?	**¿Qué autobús va a...?**
	kay owtobus va a...?
Do you know if the number 10 bus goes past the post office?	**¿Sabe si el autobús 10 pasa por Correos?**
	sabe see el owtobus dee-es pasa por korray-os?
A ticket for calle Alcalá, please	**Un billete para la calle Alcalá, por favor**
	un biyete para la ka-yay alkala, por favor
Excuse me, is this the bus for the airport?	**Disculpe, ¿este es el autobús que va al aeropuerto?**
	diskulpe, este es el owtobus kay va al a-eropwerto?
I'm going to Plaza de España. Can you tell me when to get off?	**Voy a plaza de España, ¿me puede decir en qué parada debo bajar?**
	voy a plasa de espanya, me pwayde deseer en kay parada debo bahar?
How many stops are there to the Plaza del Ecuardor?	**¿Cuántas paradas hay hasta la plaza del Ecuardor?**
	Kwantas paradas eye asta la plasa del ekwador?

What you hear

| Su billete, por favor | Your ticket, please |
| No lo ha picado | This ticket hasn't been stamped |

2 Travel

| ¿Hasta dónde va? | How far are you going? |
| ¿Dónde se baja? | Where are you getting off? |

■ **Underground and trams**. Madrid, Barcelona, Bilbao and Valencia all have their own underground system with different numbers of lines in each city. Mallorca's underground will begin to operate in 2008. The timetable and frequency of the trains varies from one place to another, but they are usually open from 5 or 6 in the morning to 12 o'clock midnight or until 2 in the morning depending on the day of the week. You can get tickets from the ticket windows or from the machines in the entrance halls of the stations. Some Spanish cities also have a tram network.

Words you might need

change lines	**transbordo**	*transbordo*
emergency exit	**salida de emergencia**	*saleeda de emerhensee-a*
emergency stop	**freno de emergencia**	*freno de emerhensee-a*
escalator	**escalera mecánica**	*eskalera mekanika*
lift	**ascensor**	*asensor*
line	**línea**	*linee-a*
platform	**andén**	*anden*
station	**estación**	*estasee-on*
underground	**metro**	*metro*
underground map	**plano del metro**	*plano de metro*

What you say

| Excuse me, where is the nearest underground entrance? | **Por favor, ¿dónde está la boca de metro más cercana?** |
| | *Por favor, donde esta la boka de metro mas serkana?* |

> **!** Some Spanish towns now have a tram system, either as an alternative or a supplement to the underground. In A Coruña they have a tram route that covers the main places of interest for tourists. In Bilbao and Valencia the trams act as a supplement to the underground linking parts of the city. In Alicante and Barcelona the trams link the cities to surrounding towns: in the case of Alicante, with Denia, and in the case of Barcelona with Baix Llobregat and Besós.

Can you give me an underground map?	¿Me puede dar un plano del metro?
	me pwayde dar un plano del metro
Which line do I take to go to Lavapiés?	¿Qué línea debo coger para ir a Lavapiés?
	kay linee-a debo koher para eer a lavapee-es
Where do I change lines to go to Sol?	¿Dónde hago transbordo para ir a Sol?
	donday ago transbordo para ir a sol?
Is this the right direction to go to Plaza Castilla?	¿Ésta es la dirección para Plaza Castilla?
	esta es la direcsee-on para plasa kasteeya
What time does the underground open/close?	¿A qué hora abren / cierran el metro?
	a kay ora abren/see-eran el metro
Excuse me, where can I get the tram to go to the Tower of Hercules?	¿Dónde puedo coger el tranvía para la Torre de Hércules?
	donday pwaydo koher el tranvee-a para la torray de erkulees?
Is this the tram for Besós?	¿Éste es el tranvía que va a Besós?
	estay es el tranvee-a kay va a besos?

■ **Local trains.** To travel between cities in the same region, you can choose between local buses *(autobuses interurbanos)* and trains *(cercanías)*. The local trains are very frequent and are usually very punctual. You can get a timetable and a map of the network free at the ticket window or information point in the station. You buy the tickets at the ticket window in the stations; a ticket doesn't give you the right to a seat. ▯

Words you might need

arrival/departure	**llegada / salida**	*yegada/saleeda*
delay	**retraso**	*retraso*
from/destination	**procedencia / destino**	*prosedensee-a/desteeno*
inspector	**revisor**	*reveesor*
local train	**tren de cercanías**	*tren de serkanee-as*
passenger	**viajero**	*vee-ahero*
platform	**andén / vía**	*anden/vee-a*
price	**precio**	*presee-o*

Once you have bought your ticket you have to go through the gates to the platform. If you have a travel pass, you need to use it to get through the gates.

single/return ticket	**billete de ida / ida y vuelta**	*beeyete de eeda/eeda ee vwelta*
ticket	**billete**	*biyete*
timetable	**horario**	*oraree-o*

What you say

A single/return ticket to Móstoles, please	**Por favor, un billete de ida/ ida y vuelta para Móstoles**
	por favor, un beeyete de eeda/eeda ee vwelta para mostoles
What time does the train for San Cugat leave?	**¿A qué hora hay trenes para San Cugat?**
	a kay ora eye trenes para san kugat?
When does the first/last train for Pozuelo leave?	**¿Cuándo sale el primer / último tren para Pozuelo?**
	kwando sale el preemer/ulteema tren para poswaylo?
Which platform does the Santiago train go from?	**¿De qué andén sale el tren para Santiago?**
	de kay anden sale el tren para santeeago?
Where is platform 3?	**¿Dónde está el andén 3?**
	donde esta el anden tres?

■ **Taxis.** Taxis are a very convenient way of getting around, although they are much more expensive than public transport. Taxis are different colours in different cities: in Madrid, for example, they are white with a red stripe, whilst in Barcelona they are black and yellow. The driver's licence number and ID and the meter must be in a visible place next to the driver. The journey begins when the driver changes his sign to *«ocupado»* (busy), and the meter begins to run, starting from the minimum fare for a journey.

You need to be aware that there is a supplement for airports, train stations and long distance bus stations, and for pieces of luggage. Also there are special, higher, rates for late at night and on public holidays. If you leave the area where you began the journey there is another supplement. All these extra charges and special fares must be clearly displayed in a visible place; normally they are on one of the rear windows.

In order to get a taxi, all you have to do is to raise your hand when you see an empty one —they have a green light or a sign that says *«Libre»* (free)—. Alternatively you can go to a taxi rank, which are indicated by a blue sign with white letter «T». Each city also has companies that you can call to order a taxi. You can find their numbers in the local Yellow Pages.

Words you might need

change	**vuelta / cambio**	*vwelta/kambee-o*
cheap	**barato**	*barato*
expensive	**caro**	*karo*
receipt	**recibo / factura**	*reseebo/faktura*
stop	**pare**	*pare*

What you say

Excuse me, do you know where there is a taxi rank?	**Por favor, ¿sabe dónde hay una parada de taxis?** *por favor, sabe donde eye una parada de tasees?*
Gran Vía 14, please	**A Gran Vía 14, por favor** *a gran vee-a katorsay por favor*
Take me to this address, please	**Lléveme a esta dirección, por favor** *yeveme a esta direcsee-on por favor*
Hello, I'm going to Calle Tembleque	**Buenas tardes, voy a la calle Tembleque** *bwenas tardays, voy a la ka-yay tremblekay*
Can you stop here, please?	**¿Puede parar aquí?** *pwayde parar akee?*
My friend is getting out first, then we are going to calle...	**Mi amiga baja primero, luego seguimos hasta la calle...** *mee ameega baha preemero, lwaygo segeemos asta la ka-yay...*
How much will it be, more or less?	**¿Cuánto va a costar más o menos?** *kwanto va a kostar mas o menos?*

 You need to know that if you ever doubt how much you have been asked to pay, you can demand an official receipt for the journey. This must detail where you started and finished the journey, the date and how much you paid. It must also show the driver's licence number and must be signed by the driver. You can use this receipt to make a complaint at the Consumer Affairs office *(Oficina de Consumidores)* of the local or regional council.

2 Travel

Which is the best way to go?	**¿Por dónde iremos mejor?**
	por donde eeremos mehor?
How much is the luggage supplement?	**¿Cuánto es el suplemento por equipaje?**
	kwanto es el suplemento por ekipahe?
I'd like a receipt, please	**¿Puede hacerme un recibo / factura, por favor?**
	pwayde aserme un reseebo/faktura, por favor?

What you hear

¿A qué dirección vamos? / ¿Adónde vamos?	Where to?
¿Por dónde vamos?	Which way?
¿Podría indicarme?	Can you show me?
Este camino es más corto / largo	This is the shortest/longest route
Hay mucho tráfico	There is a lot of traffic

What you see

Libre	Free
Límite de tarifa para taxis	Change of taxi price zone
Ocupado	Busy
Suplemento	Supplement
Tarifa	Fare

2.3 Moving around the country

■ **Long distance buses.** This is certainly the cheapest option for travelling around Spain. There are many bus companies and they can get you virtually anywhere in the country. Most towns have a central bus station that all these companies leave from. You can get timetables for the different companies at the bus station. Tickets can be bought at the station, or you can reserve them by telephone or buy them on the internet and collect them at the ticket window. It is always a good idea to buy your ticket before the day you want to travel during holiday periods such as Easter, Christmas and public holidays. All the long distance bus companies offer televisions, air conditioning and, in many cases, toilets. You are not allowed to smoke on the buses.

Words you might need

arrival	**llegada**	*yaygada*
boot	**maletero**	*maletero*
bus/coach	**autobús / autocar**	*owtobus*
conductor	**conductor**	*konduktor*
emergency exit	**salida de emergencia**	*saleeda de emerhensee-a*
exit	**salida**	*saleeda*
passenger	**pasajero**	*pasahero*
platform	**andén**	*anden*
single/return ticket	**billete ida / ida y vuelta**	*beeyete eeda/eeda y vwelta*
stop	**parada**	*parada*
ticket	**billete**	*beeyete*
timetable	**horario**	*oraree-o*

What you say

Excuse me, where is the bus station?	**Por favor, ¿dónde está la estación de autobuses?**
	por favor, donde esta la estasee-on de owtobuses?
Which window can I buy a ticket for Lugo from?	**¿En qué ventanilla puedo comprar un billete para Lugo?**
	en kay ventaneeya pwaydo komprar un beeyete para lugo?
Which company goes to Cádiz?	**¿Qué compañía va a Cádiz?**
	kay kompanyee-a va a kadis?
Which bus goes direct to Alicante?	**¿Qué autobús va directo a Alicante?**
	kay owtobus va deerekto a alikante?

> ! Most of the long distance buses make at least one stop about half way through the journey. Some companies offer «direct» services, which go to their destination without making any stops. These are obviously quicker than the normal buses, but also more expensive. You should find out about the timetables of these buses, as it can be much cheaper to buy a ticket for one of the buses that makes a lot of stops during its journey.

2 Travel

Could you tell me the times of the buses for Gerona, please?	**Por favor, ¿podría decirme los horarios de autobús para Gerona?** *por favor, podree-a deseeerme los oraree-os de owtobus para gerona?*
At what time does the next bus for Lérida leave?	**¿A qué hora sale el próximo autocar para Lérida?** *a kay ora sale el proseemo owtokar para lereeda?*
How much is a return ticket to Valencia?	**¿Cuánto cuesta un billete de ida y vuelta para Valencia?** *kwanto kwesta un beeyete de eeda y vwelta para valensee-a?*
A single/return ticket to Bilbao, please	**Un billete de ida / ida y vuelta para Bilbao, por favor.** *un beeyete de eeda/eeda y vwelta para bilbow?*
Which platform does the Sevilla bus go from?	**¿De qué andén sale el autobús para Sevilla?** *de kay anden sale el owtobus para seveeya?*
What time does it arrive in Sevilla?	**¿A qué hora llega a Sevilla?** *a kay ora yega a seveeya?*
How long is the journey?	**¿Cuánto tiempo dura el viaje?** *kwanto tee-empo dura el vee-ahe?*
Is there a toilet on the bus?	**¿Hay aseo en el autobús?** *eye asay-o en el owtobus?*

■ **Trains.** The national rail network (RENFE) is highly developed, although it doesn't cover as many towns as the bus services and isn't as frequent. The trains are usually more expensive but more comfortable. In addition to the normal local and long distance rail services, there are some high speed lines (AVE), although these only go to a few cities and they are very expensive. All of the trains have toilets, cafes and, in the case of long distance trains, radio and films on video - the train provides earphones.

You are not permitted to smoke on any journey of less than five hours, except in the café. Longer distance trains have special smoking compartments. Night trains have bunk beds, which you can buy by paying a supplement. You can buy tickets in the station, by telephone or on the internet. Tickets for medium and long distance journeys always have a seat and carriage number.

In addition, in the North of Spain, there is the most extensive network of narrow guage railway in Europe. There are around 1,200 kilometres of line that cover various regions. They are operated by FEVE (Ferrocarriles de Vía Estrecha).

Words you might need

aisle/window	**pasillo / ventanilla**	*paseeyo/ventaneeya*
arrival/departure	**llegada / salida**	*yegada/saleeda*
bunk bed	**litera**	*liter*
café/restaurant	**vagón cafetería / restaurante**	*vagon kafeteree-a/restorante*
delay	**retraso**	*retraso*
from/destination	**procedencia / destino**	*prosedensia/desteeno*
get on the train	**subir al tren**	*subeer al tren*
high-speed train	**AVE**	*avay*
inspector	**revisor**	*reveesor*
left-luggage	**consigna**	*konseenya*
luggage	**equipaje**	*ekeepahe*
passenger	**viajero**	*vee-ahero*
platform	**andén/vía**	*anden/vee-a*
reservation	**reserva**	*reserva*
seat	**asiento**	*asee-ento*
single/return	**ida / ida y vuelta**	*eeda/eeda y vwelta*
station manager	**jefe de estación**	*hefe de estasion*
supplement	**suplemento**	*suplemento*
ticket	**billete**	*beegete*
timetable	**horario**	*oraree-o*
train/railway	**tren / ferrocarril**	*tren/ferokareel*

What you say

Where is the information office?	**¿Dónde está la oficina de Información?**
	donde esta la ofiseena de informasee-on?
A single/return ticket to Zaragoza, please	**Un billete de ida/ ida y vuelta para Zaragoza**
	un beeyete de eeda/eeda y vwelta de saragosa

 The narrow guage railways (FEVE) covers two routes, linking Ferrol with Bilbao (through the North of Galicia, Asturias, Cantabria and Vizcaya) and Bilbao with León (through the regions of Vizcaya, Burgos, a small part of Cantabria, Palencia and León). FEVE also operates a passenger route in the region of Murcia, linking Cartagena with Nietos.

2 Travel

A ticket for Barcelona, please	**Quiero un billete para Barcelona**
	kee-ero un beeyete para barselona
How much is a ticket to Bilbao?	**¿Cuánto cuesta el billete para Bilbao?**
	kwanto kwesta el beeyete para bilbow?
When does the train for Toledo leave?	**¿A qué hora sale el tren para Toledo?**
	a kay hora sale el tren para toleedo?
What time does it arrive in Gijón?	**¿A qué hora llega a Gijón?**
	a kay ora yayga a heehon?
Which platform does the train for León leave from?	**¿De qué andén sale el tren para León?**
	de kay anden sale el tren para Le-on?
Excuse me, this is my seat	**Disculpe, este es mi sitio**
	diskulpar, estay es mee sitee-o
Where are the toilets?	**¿Dónde están los servicios?**
	donde estan los servisee-os?
Excuse me, do you know where the left-luggage is?	**¿Sabe dónde están las consignas?**
	sabe donday estan las konseegnas?
Where is the café?	**¿Dónde está el vagón cafetería?**
	donde esta el vagan kafeteree-a?

What you hear

¿Billete de ida o de ida y vuelta?	Single or return?
¿Billete de primera o de segunda clase?	First or second class?
¿Asiento o litera?	Seat or bunk bed?
El tren con destino a Almería tiene un retraso estimado de una hora.	The train for Almeria is delayed by about an hour
Está prohibido fumar	You are not permitted to smoke
Ese tren está completo	The train is full

What you see

Acceso a vías	To the platforms
Andén / andenes	Platform(s)
Billetes	Tickets
Cercanías	Local trains
Consigna	Left-luggage
Destino	Destination
Freno de emergencia	Emergency brake
Largo recorrido	Long distance
Llegadas / salidas	Arrivals/departures

Oficina de Objetos Perdidos	Lost property office
Procedencia	From

■ **Boats.** In Spain there are ferries that link the mainland with the Balearic islands. The ferries for Ibiza and Mallorca leave from Barcelona and Valencia four times a week and the journey takes about four hours. The ferries are cheaper than taking the plane. You can also get to the Canary islands by ferry from the mainland. The ferries leave from Cádiz once a week.

The boats that link Spain to North Africa leave from Alicante, Almería, Málaga, Algeciras and Tarifa, and arrive in Orán, Melilla, Ceuta and Tánger. You can buy your ticket at the port, in a travel agency or on the internet. The ferries have a café, which is the only place where you are permitted to smoke.

Words you might need

boat	barco	barko
captain	capitán	kapitan
crew	tripulación	tripulasion
deck	cubierta	kubee-erta
ferry	ferry	ferri
life jacket	flotador / salvavidas	flotador/salvaveedas
passenger	pasajero	pasahero
port	puerto	pwerto
shipping companies	compañías marítimas	kompanyee-as mariteemas
ticket	billete	beeyete
tide	mareo	mare-o

What you say

A ticket to Algeciras, please	**Por favor, un billete para Algeciras**
	por favor, un beeyete para algeseeras
What time does the ferry for Málaga leave?	**¿A qué hora es el ferry para Málaga?**
	a kay ora es el ferri para malaga?
How much is a ticket?	**¿Cuánto cuesta el billete?**
	kwanto kwesta el beeyete?
Can you tell me what time the next boat leaves?	**¿Me puede decir a qué hora sale el próximo barco?**
	me pwayde desir a kay hora sale el proximo barko?

2 Travel

| I'm feeling seasick, do you have any pills? | **Estoy mareado, ¿tiene alguna pastilla?** |
| | *estoy mareado, tee-ene alguna pasteeya?* |

■ **Plane.** The plane is the quickest way of getting around, but it is also the most expensive and the most limited. You can sometimes find special offers that are very cheap, but these are usually to tourist destinations and outside the peak season. The main Spanish cities all have their own airports.

Words you might need

airport	**aeropuerto**	*a-eropwerto*
aisle	**pasillo**	*paseeyo*
check in	**facturación**	*fakturasion*
excess luggage	**exceso de equipaje**	*exceso de ekipahe*
landing	**aterrizaje**	*aterisahe*
national/ international flight	**vuelo nacional / internacional**	*vwaylo nasional / internasional*
passport control	**control de pasaportes**	*kontrol de pasaportes*
seat belt	**cinturón de seguridad**	*sinturon de seguridad*
steward/stewardess	**azafata**	*asafata*
take off	**despegue**	*despegay*
ticket	**billete**	*beeyete*
window	**ventanilla**	*ventaneeya*

What you say

Excuse me, where is the information office?	**La oficina de información, por favor**
	la ofiseena de informasion, por favor
Where do international flights arrive?	**¿Dónde llegan los vuelos internacionales?**
	donde yaygan los vwaylos internasionales
What time does the 725 from Tánger arrive?	**¿A qué hora llega el vuelo 725 de Tánger?**
	a kay ora yega el vwaylo 725 de Tanger?

 International flights leave from the airports in Madrid, Barcelona, Alicante, Bilbao, Ibiza, Málaga, Palma de Mallorca, Santiago de Compostela, Sevilla, Valencia and Tenerife.

Is the flight delayed?	**¿Tiene retraso el vuelo?**
	tee-ene retraso el vwaylo?
Where is the waiting room?	**¿Dónde está la sala de espera?**
	donde esta la sala de espera?
Where are the luggage trolleys?	**¿Dónde están los carritos?**
	donde estan los karritos?
My suitcase has broken/been lost	**Me han roto / perdido una maleta**
	me han roto/perdeedo una maleta
Where can I report it?	**¿Dónde puedo reclamar?**
	donde pwaydo reclamar?
Where is the underground/bus stop/ taxi rank?	**¿Dónde está la parada de metro / autobús / taxis?**
	donde esta la parada de metro/owtobus/taxees?

What you hear

El vuelo AF-725 con destino a Tánger tiene un retraso de 1 hora	Flight AF-725, destination Tánger, is delayed by one hour.
El vuelo AF-725 ha aterrizado	Flight AF-725 has landed
¿Puede describir su equipaje?	Can you describe the bag?
Rellene esta hoja de reclamaciones	Fill in this claim form

What you see

Llegadas nacionales / internacionales	National/international arrivals
Número de vuelo	Flight number
Oficina de información	Information office
Oficina de objetos perdidos	Lost luggage office
Procedencia	From
Puerta de embarque	Boarding gate
Retraso	Delay
Sala de espera / llegadas	Waiting room/arrivals
Salidas nacionales / internacionales	National/international departures
Vuelo cancelado	Flight cancelled

2.4 On the road

■ Driving in Spain. The national road network consists of toll and free motorways, double carriageways and other main roads. You can recognise the motorways that require payment of a toll as they have blue signs with

2 Travel

the letters AP *(Autopista de Peaje)*; you can pay in cash or with a card. There are help points on the main roads every two or three kilometres (look for the SOS sign), where you can request help if you have an accident or a breakdown.

Words you might need

car insurance	**seguro del coche**	*seguro del koche*
diversion	**desvío**	*desvee-o*
tax on motor vehicles	**permiso de circulación**	*permeeso de sirkulasion*
driving licence	**permiso / carnet de conducir**	*permeeso / karnet de konduseer*
fine	**multa**	*multa*
help point	**puesto de socorro**	*pwesto de sokorro*
main road	**carretera**	*karretera*
motorway	**autopista**	*owtopista*
motorway	**autovía**	*owtovee-a*
papers	**documentación**	*dokumentasion*
reflective jacket	**chaleco reflectante**	*chaleko reflektante*
roadworks	**obras**	*obras*
to get lost	**perderse**	*perderse*
tools	**herramientas**	*erramee-entas*
tow truck	**grúa**	*grua*
warning triangle	**triángulo de señalización**	*tree-angulo de senyalisasion*

What you say

Excuse me, how do I get to the road to Vitoria?	**Por favor, ¿dónde tomo la carretera para Vitoria?** *por favo, donday tomo la karretera para vitoria?*
Is this the road for Almería?	**¿Ésta es la carretera para Almería?** *esta es la carretera para almería?*
Excuse me, is this the turn off for Alicante?	**Disculpe, ¿la salida para Alicante?** *diskulpe, la saleeda para alikante?*

 In Spain you have to have a warning triangle and at least one reflective jacket in the car for use in breakdowns or accidents, or whenever you get out of the car on a mainroad. You can be fined if you do not have them.

I don't speak Spanish very well. Can you show me on the map? / Can you draw it for me?	**No entiendo bien español. ¿Me lo puede señalar en el mapa? / ¿Me lo puede dibujar aquí?**
	No entee-endo bee-en espanyol. Me lo pwayde ensenyar en el mapa? / Me lo pwayde dibuhar akee?

What you see

Área de descanso	Rest area
Área de servicio	Service station
Atención	Warning
Autopista de peaje	Toll motorway
Autovía	Motorway
Cambio de sentido	Change of priority
Ceda el paso	Give way
Centro ciudad	City centre
Circule despacio	Drive slowly
Desvío	Diversion
Encienda las luces	Switch on your lights
Entrada	Entrance
Escalón lateral	Hard shoulder
Límite de velocidad	Speed limit
Modere su velocidad	Slow down
Peaje	Toll
Polígono industrial	Industrial estate
Posible doble carril	Possible double carriageway
Precaución	Drive carefully
Prohibido detenerse	No stopping
Recuerde	Be careful
Reduzca velocidad	Slow down
Retención	Delays
Retención desde el el km 18 al 26	Delays from junction 18 to junction 26
Salida	Exit
SOS	Help
Uso obligatorio del cinturón	Compulsory seat belt
Velocidad controlada por radar	Speed cameras
Velocidad lenta	Slow
Velocidad limitada a 80	Speed limit 80
Vía de servicio	Service road
Zona industrial	Industrial estate

2 Travel

At the petrol station. There is a petrol station every 25 or 50 kilometres in Spain on the main roads. However, if you are planning to use minor roads then plan ahead as it can be more difficult to find them and you could have problems refilling.

Words you might need

automatic car wash	lavado automático	*lavado owtomatiko*
brake fluid	líquido de frenos	*liquido de frenos*
brake fluid level	nivel de líquido de frenos	*nivel de likido de frenos*
can of oil	lata de aceite	*lata de asayte*
car wash	túnel de lavado	*tunel de lavado*
change	cambiar	*kambee-ar*
check	comprobar	*komprobar*
diesel	gasoil	*gasoil*
fill (the tank)	llenar (el depósito)	*yaynar (el deposito)*
lead-free	gasolina sin plomo	*gasoleena sin plomo*
oil level	nivel de aceite	*nivel de asayte*
petrol	gasolina	*gasoleena*
petrol tank	depósito	*deposito*
tyre pressure	presión de los neumáticos	*presion de los noomatikos*
windscreen wipers	limpiaparabrisas	*limpiaparabrisas*

What you say

Where is the nearest petrol station?	¿Dónde está la gasolinera más cercana? *donde esta la gasolinera mas cerkana?*
Could you take me to the nearest petrol station?	¿Me puede llevar hasta la gasolinera más cercana? *me pwayde yevar asta la gasoleenera mas serkana?*
Fill the tank, please	Llene el depósito, por favor *yaynay el deposito, por favor*
30 litres of lead-free, please	Póngame 30 litros de gasolina sin plomo *pangame 30 leetros de gasoleena sin plomo*
30 litres of petrol, please	Póngame 30 euros de gasolina por favor *pangame 30 e-uros de gasoleena por favor*

Can I have a can of oil, please?	**Déme una lata de aceite, por favor**
	deme una lata de asayte, por favor
Can you check the tyres, please?	**¿Puede revisar las ruedas?**
	pwayde revisar las rwaydas?
Can you clean the windscreen, please?	**¿Podría limpiar el parabrisas, por favor?**
	podree-a limpee-ar el parabreesas, por favor?
Can you check the oil, please?	**¿Puede comprobar el aceite?**
	pwayde komprobar el asayte?
How much is that?	**¿Cuánto es?**
	kwanto es?
Where are the toilets, please?	**¿Los servicios, por favor?**
	los servisios, por favor?
Can you wash the car for me, please?	**¿Puedo lavar el coche?**
	pwaydo lavar el koche?

■ If the _Guardia Civil_ stop you. This is a type of national police force and, among other things, they are responsible for traffic. You can always see them on Spanish roads, and they will usually be the first to help the driver in case of breakdown or accident. If they indicate that you should stop, you must do so immediately, as long as you are not putting any other drivers in danger.

Words you might need

check	**control**	*kontrol*
stop	**detener[se]**	*detener [se]*
papers	**documentación**	*dokumentasion*
over the speed limit	**exceso de velocidad**	*exceso de velosidad*
Civil Guard	**Guardia Civil**	*Gwardia Sivil*
tools	**herramientas**	*erramee-entas*
interpreter	**intérprete**	*interprete*
fine	**multa**	*multa*
tax on motor vehicles	**permiso de circulación**	*permeeso de sirkulasion*
driving licence	**permiso / carnet de conducir**	*permeeso/karnet de konduseer*

What you say

| Hello, what is the problem? | **Buenos días, ¿qué sucede?** |
| | *bwenos dee-as, que susede?* |

Have I committed an offence?	¿He cometido alguna infracción?
	ay kometido alguna infracsion?
Here are the papers for the car	**Aquí tiene la documentación del coche**
	akee tee-ene la dokumentasion del koche
I'd like an interpreter	**Quisiera un intérprete**
	kisee-era un interprete
I'd like to call a lawyer	**Quisiera llamar a un abogado**
	kisee-era un interprete
I'd like to speak to my Consulate	**Quisiera consultar con mi consulado**
	kisee-era konsultar kon mi konsulado

What you hear

¡Alto! / ¡Pare!	Stop!
Su documentación, por favor	Can I see your papers, please?
¿Me puede enseñar su documentación y los papeles del vehículo?	Can I see your papers and those for the car, please?
Su permiso / carnet de conducir, por favor	Your driving licence, please
La documentación de su seguro, por favor	Can I see your insurance documents, please?
Permiso de circulación	Tax on motor vehicles
Todo está en orden, muchas gracias	That's fine. Thank you
Circula con exceso de velocidad	You were breaking the speed limit
Le voy a poner una multa	I'm going to fine you
Es un control de alcoholemia	This is an alcohol check
Por favor, sople por aquí	Breathe into this, please
Tiene usted una tasa de alcohol superior a la permitida	Your alcohol level is over the limit

■ **If you breakdown.** If you breakdown you must put the warning triangles in a visible place 100 metres from where the car is parked.

Words you might need

accelerator	**acelerador**	*aselerador*
battery (flat)	**batería (vacía)**	*bateree-a (vasee-a)*
boot (doesn't open)	**maletero (no se abre)**	*maletero (no se abre)*
breakdown	**avería**	*averee-a*
bumpers	**parachoques**	*parachokes*

carburettor	carburador	*karburador*
clutch (broken)	embrague (roto)	*embragay (roto)*
exhaust pipe (broken)	tubo de escape (roto)	*toobo de eskape (roto)*
gear lever (broken)	palanca de cambios (rota)	*palanka de kambee-os (rata)*
hand brake (broken)	freno de mano (roto)	*freno de mano (roto)*
indicator (doesn't work)	intermitente (no funciona)	*intermitente (no funsee-ona)*
jack	gato	*gato*
mechanic	mecánico	*mekanika*
mirror (broken)	espejo (roto)	*espeho (roto)*
motor (noise, smoke)	motor (ruido, humo)	*motor (roo-eedo, oomo)*
oil (leak)	aceite (pérdida)	*asayte (perdida)*
petrol tank	depósito de gasolina	*deposito de gasoleena*
radiator (empty)	radiador (vacío)	*radee-ador (vasee-o)*
rear view mirror	retrovisor	*retroveesor*
seat belt	cinturón de seguridad	*sinturon de seguridad*
spark plugs	bujías	*buhee-as*
steering wheel	volante	*volante*
suspension (broken)	amortiguadores (rotos)	*amortigwadores (rotos)*
tyre (flat, punctured)	neumático / rueda (sin aire, pinchado/-a)	*noomatiko (sin ayre, pinchado)*
warning triangle	triángulos de señalización	*tree-angulos de senyalisasion*
windscreen wipers	limpiaparabrisas	*limpee-aparabreesas*
windscreen (broken)	parabrisas (roto)	*parabreesas (roto)*

What you say

I've broken down	**Tengo una avería**
	tengo una averee-a
Where is the nearest garage?	**¿Dónde está el taller más cercano?**
	donde esta el tayer mas serkano?
Can you tow me to the garage?	**¿Podría remolcarme hasta un taller?**
	podree-a remolkarme asta un taller?
Can you inform the motorway patrol?	**¿Podría avisar al servicio de auxilio en carretera?**
	podree-a avisar al servicio de auxilee-o en karretera?
I need a tow truck	**Necesito una grúa**
	neceseeta una grua

My car has broken down around 205 km along the A-1	**El coche se ha quedado parado en el kilómetro 205 de la A-1** *el coche se ha kaydado parado en el kilometro 205 de la A-1*
I have a puncture	**Se me ha pinchado una rueda** *se me ha pinchado una roo-eda*
The oil is leaking	**Pierde aceite** *pee-erde asayte*
My car is making a strange sound	**Mi coche hace un ruido raro** *me koche hase un roo-eedo raro*
It is smoking	**Sale humo** *Sale oomo*
The indicator doesn't work	**No funciona el intermitente** *no funciona el intermitente*
The fan belt has broken	**Se ha roto la correa del ventilador** *se ha roto la korraya del ventilador*
My car won't start	**El coche no arranca** *el koche no arranka*
My battery is flat	**Me he quedado sin batería** *me ay kaydado sin bateree-a*
My tank is empty	**Me he quedado sin gasolina** *Me ay kaydado sin gasoleena*
The brakes aren't working very well	**No frena bien** *no frena bee-en*
The front/rear windscreen is broken	**Se me ha roto la luna delantera / trasera** *se me a roto la luna delantera/trasera*
The fan is broken	**Me han roto la ventanilla** *me an roto la luna delantera/trasera*
I've locked the car with the keys inside	**He cerrado el coche con las llaves dentro** *ay serrado el koche kon las yaves dentro*
Can you do a temporary repair?	**¿Me puede hacer una reparación provisional?** *me pwayde aser una reparasion provisional?*
Only do the essential repairs	**Haga sólo las reparaciones imprescindibles** *aga solo las reparasiones impresindibles*
Can you repair it today?	**¿Lo puede arreglar hoy?** *lo pwaday arreglar oy?*
How long will it take?	**¿Cuánto tardará en arreglarlo?** *kwanto tardara en arreglarlo?*
When will it be ready?	**¿Para cuándo estará?** *parakwanto estara?*

Can I wait here?	¿Puedo esperar aquí?
	pwaydo esperar akee?
Do you have to order parts?	¿Hay que pedir repuestos?
	ay que pedir repuestos?
This is the insurance policy and the documentation for the car	Aquí tiene la póliza del seguro y la documentación del coche
	akee tee-ene la polisa del seguro y la dokumentasion del koche
How much will it cost?	¿Cuánto va a costar?
	kwanto va a kostar?
Can you give me a quote?	¿Me puede hacer un presupuesto?
	me pwayde aser un presupwesto?
I need a receipt	¿Me puede hacer una factura?
	me pwayde aser una faktura?

■ **If there is an accident.** If there is an accident you have to call the traffic Civil Guard *(Guardia Civil de Tráfico)*. They will direct the traffic, help the injured, coordinate the emergency services (firemen and ambulances) and take statements about the accident. Among the documentation that you need to have in the car at all times is third party insurance (which covers damage and injuries that could be caused to other cars and people). You can also get full cover, which covers damage to your car, but which is more expensive. ■

Words you might need

accident	accidente	*acsidente*
accident report	parte de accidente	*parte de acsidente*
ambulance	ambulancia	*ambulansee-a*
civil guard/police man/woman	Guardia civil / agente de policía	*Gwardee-a sivil/ahente de polisee-a*
comprehensive policy	seguro a todo riesgo	*seguro a todo riesgo*
crash	choque / chocar	*chokay/chokar*
dead person (people)	muerto(s)	*mwerto(s)*
doctor	médico	*mediko*
driving licence	permiso / carnet de conducir	*permeeso/karnet de konduseer*
fault	culpa	*kulpa*

 If you have an accident on the roads then it is important to mark the accident zone with the warning triangle and to wear your reflective jacket in order to avoid further accidents.

help point	**puesto de socorro**	*pwesto de sokorro*
injured person (people)	**herido(s)**	*ereedo(s)*
lawyer	**abogado**	*abogada*
reflective jacket	**chaleco reflectante**	*chaleko reflektante*
report	**denuncia**	*denunsee-a*
statement	**atestado**	*atestado*
third party policy	**seguro a terceros**	*seguro a terseros*
to tow	**remolcar**	*remolkar*
tow truck	**grúa**	*groo-a*
witnesses	**testigos**	*testeegos*
warning triangle	**triángulo de señalización**	*tree-angulo de senyalisasion*

What you say

I have had an accident	**He tenido un accidente** *ay tenido un acsidente*
There are some injured/dead people	**Hay heridos / muertos** *ay ereedos/mwertos*
Can you call an ambulance/the Civil Guard?	**¿Puede llamar a una ambulancia / la Guardia Civil?** *pwayde yamar a una ambulansee-a/ la Gwardee-a Sivil?*
Is it serious?	**¿Es grave?** *es gravay?*
No, I'm not injured	**No, no estoy herido,-a** *no, no estoy ereedo-a*
We'll need a tow truck	**Hay que llamar a la grúa** *ay kay yamar a la grua*
You have to put the warning triangle out	**Hay que colocar el triángulo de avería** *ay kay kolokar el tree-angulo de averee-a*
You have to put on your reflective jacket	**Tiene que ponerse el chaleco reflectante** *tee-ene kay ponerse el chaleko reflektante*
You need to move your car	**Hay que apartar el coche** *ay kay apartar el koche*
This man/woman is a witness	**Este/-a señor/-a es testigo** *este/-a senyor/-a es testeego*
I'd like an interpreter	**Quisiera un intérprete** *kisee-era un interprete*
Which insurance company are you with?	**¿Cuál es su compañía de seguros?** *kwal es su kompanyee-a de seguros?*

Can you give me your insurance policy number?	¿Me puede dar su número de póliza del seguro?
	me pwayde dar su numero de poleesa del seguro?
It was your fault	Fue culpa suya
	fway kulpa sooya
I didn't see him/her/it	No lo vi
	no lo / la vee
I had right of way	Yo tenía preferencia
	yo tenee-a preferensee-a

What you hear

¿Dónde ocurrió el accidente?	Where was the accident?
¿Hay heridos / muertos?	Are there any injured/dead people?
¿Cuándo ocurrrió?	When did it happen?
¿Han rellenado el parte de accidente?	Have you filled out the accident report?
Acompáñeme a la comisaría	Come with me to the police station
Tiene que declarar / hacer una declaración	You will have to give evidence/write a statement

Parking in the city. In many Spanish cities there are roads and areas where you can only park for a limited period of time (usually an hour and a half to two hours). These areas are shown by blue or green lines and parking meters. If you park in one of these zones then you need to buy a ticket from the parking meter and to display it in a visible place inside your car. If you overstay the permitted time, you could be fined or face the unpleasant situation of your car being towed away by the tow truck. These pay zones usually operate from 9 o'clock in the morning to 8 o'clock in the evening from Monday to Friday.

There are also numerous pubic and private underground car parks. These are much more expensive than parking in the street. 🚌

> ❗ Never park in an area with a yellow line! These are usually loading and unloading bays for deliveries or areas where you are not permitted to park (vado), such as exits to garages. If you park here it is likely that a tow truck will remove your car within a couple of minutes.
>
> If your car is taken by the tow truck then you will have to go to the place where the council keeps cars that have been towed away (depósito del ayuntamiento), pay for the tow truck (usually around 90 €, depending on the city) and pay a fine.

2 Travel

What you say

Do you know if there is a car park near here?	**¿Sabe si hay un aparcamiento por aquí?** *sabe si ay un aparkamee-ento por akee?*
Do you have change for the parking meter?	**¿Tiene cambio para el parquímetro?** *tee-ene kambee-o para el parkimetro?*
Where is the ticket machine?	**¿Dónde hay una máquina expendedora?** *donde ay una makina expendedora?*
Have you seen a traffic warden?	**¿Ha visto a un controlador?** *a visto a un kontrolador?*
The tow truck has taken my car	**La grúa se ha llevado mi coche** *la groo-a se a yevado mi koche*
Do you know where they take the cars?	**¿Sabe dónde está el depósito de coches?** *sabe donde esta el deposito de koches?*

What you see

Caja	Ticket window
Entrada	Entrance
Libre	Free
Ocupado	Busy
Plazas aparcamiento	Parking spaces
Salida	Exit
Salida de emergencia	Emergency exit
Servicios	Services
Vado	Keep clear

Somewhere to stay

When you first arrive in Spain, if you don't have any friends or acquaintances to stay with, you will need to use one of the many hotels or pensions. This chapter is full of information and useful phrases to make yourself understood if you stay in this type of accommodation.

Once you are here, you will have to find a flat to rent or to share. This chapter provides information and phrases to help you. Finding a flat to rent in Spain can be difficult. There are not many flats available, and the prices differ enormously from one city to another. The most expensive cities are Madrid, Barcelona and San Sebastián. Prices are lower in the smaller regional capitals.

> **!** Many cities also have council hostels. These are free and, in an emergency, you can spend a couple of nights in them. You can find details of where to find them, their opening hours and conditions in the local council offices or through one of the associations for immigrants.

3 Somewhere to stay

3.1 Temporary accommodation: hotels, hostels and pensions

■ **Hotels.** There are basically three types of accommodation: hotels (with between 1 and 5 stars), hostels and pensions. Hotels are the most expensive and offer the best service; it is often necessary to book in advance. Hostels are generally lower quality, but you don't usually need to book in advance. Pensions are without doubt the cheapest type of accommodation in Spanish cities. They offer the lowest quality (rooms often do not have bathrooms) and you may have to pay in advance, but many of them offer reasonably priced breakfasts and other meals.

Words you might need

bathroom	cuarto de baño	cwarto de banyo
bed	cama	kama
extra bed	cama supletoria	kama supletoree-a
dinner	cena	sena
lunch	comida	komeeda
breakfast	desayuno	desayuno
shower/bathtub	ducha / bañera	doocha/banyera
luggage	equipaje	ekipahe
single/double room	habitación (simple / doble)	abitasion (simple/doble)
hostel	hostal	ostal
hotel	hotel	otel
washbasin	lavabo	lavabo
key	llave	yave
half board	media pensión	medee-a pension
pension	pensión	pension
full board	pensión completa	pension kompleta
price per room	precio por habitación	presee-o por abitasion
receptionist	recepcionista	resepsionista
bill	recibo / factura	reseebo/faktura
services	servicios	servisee-os
telephone	teléfono	telefono

> **!** Once you have found a room in a hotel, hostel or pension, you will have to complete a form with your personal details. We explain everything you are likely to see on this type of form in the *What you see* section.

What you say

I'm looking for a room for tonight	**Busco alojamiento para esta noche** *busko alohamee-ento para esta noche*
Is there a cheap place to stay near here?	**¿Hay un lugar barato para dormir cerca de aquí?** *eye un lugar barato para dormeer serka de akee?*
How do you get there?	**¿Cómo se puede llegar allí?** *komo se pwayde yegar ayee?*
Do you have any rooms available?	**¿Tiene habitaciones libres?** *tee-ene abitasiones leebres*
I have a room reserved in the name of ...	**Tengo una habitación reservada a nombre de ...** *tengo una abitasion reservada a nombre de ...*
Can I reserve a room for Saturday?	**¿Puedo reservar una habitación para el sábado?** *pwaydo reservar una abitasion para el sabado?*
Do you have a room for 3 people?	**¿Tiene una habitación para 3 personas?** *tee-ene una abitasion para 3 personas?*
How much is the room per night?	**¿Cuánto cuesta la habitación por noche?** *kwanto kwesta la abitasion por noche?*
That is too expensive. Do you have anything cheaper?	**Es demasiado cara, ¿tiene otra más barata?** *es demasee-ado kara, tee-ene otra mas barata?*
Do I have to leave a deposit?	**¿Tengo que dejar una señal?** *tengo kay dehar una senyal?*
Do I have to pay for my small child?	**¿Mi hijo pequeño tiene que pagar?** *mi eejo pekaynyo tee-ene que pagar?*
I'd like a single/double/triple room	**Quería una habitación individual / doble / con tres camas** *keree-a una abitasion individual/doble/-kon tres kamas*
I'd like an en suite room	**Quería una habitación con cuarto de baño** *keree-a una habitasion konkcwarto de banyo*
I'd like a room for 2 nights	**Quería una habitación para 2 noches** *keree-a una abitasion para 3 noches*
I don't know how long I'm going to stay	**No sé cuanto tiempo me voy a quedar** *no se cwanto tee-empo me voy a kaydar*

3 Somewhere to stay

Is breakfast included?	**¿El desayuno está incluido en el precio?** *el desayuno esta inclu-eedo en el presee-o?*
Do you also serve lunch and dinner?	**¿Dan también comidas y cenas?** *dan tambee-en komeedas y senas?*
How much is breakfast/lunch/dinner?	**¿Cuánto cuesta el desayuno / la comida / la cena?** *kwanto kwesta el desayuno/la komeeda/la sena?*
Is the bathroom en suite?	**¿El baño está en la habitación?** *el banyo esta en la abitasion?*
Can I see the room?	**¿Puedo ver la habitación?** *pwaydo ver la abitasion*
I asked for a single/double/triple room	**Pedí una habitación sencilla / doble / con tres camas** *pedee una abitasion senseeya/doble/- kon tres kamas*
Do you have a bigger room?	**¿Tiene una habitación más grande?** *tee-ene una abitasion mas grande?*
Is there another hotel/hostel/pension near here?	**¿Hay otro hotel / hostal / pensión cerca de aquí?** *eye otro otel/ostal/pensee-on serka de akee?*
OK, we/I will take it	**Sí, nos la quedamos / me la quedo** *si, nos la kaydamos/me la kaydo*
I don't like it very much. Can I change?	**No me gusta mucho, ¿sería posible cambiarla?** *no me gusta mucho, seree-a poseeble kambee-arla*
Could you call me at 7 tomorrow morning?	**¿Podría llamarme a las 7 de la mañana?** *podree-a yamarme a las 7 de la manyana?*
Is the hotel/hostel/pension open all night?	**¿El hotel / hostal / pensión está abierto toda la noche?** *el otel/ostal/pension esta abee-erto toda la noche*

What you hear

Buenos días, ¿qué desea usted?	Hello. How can I help you?
¿Tienen una reserva?	Do you have a reservation?

No tenemos nada libre	We don't have anything available
Lo siento, está lleno / completo	I'm sorry, we are full
No nos quedan habitaciones individuales / dobles	We don't have any single/double rooms left
Lo siento, pero no hay otra habitación disponible	I'm sorry, this is the only empty room we have
¿Cuántos días se va a quedar?	How many nights are you staying?
¿Habitación individual o doble?	Would you like a single or a double room?
¿Me deja su documentación / pasaporte?	Can I see your papers/passport, please?
Son 50 euros la noche para 2 personas	It is 50 euros per night for two people
Rellene esta ficha / formulario / impreso, por favor	Please fill in this form
Tenga, firme aquí, por favor	Sign here, please
Aquí tiene la llave de su habitación	Here is the key to your room
Su hijo pequeño puede tener una cama gratuita en el dormitorio	You can have an extra bed for free for your small child
Su habitación es la 124, en el primer piso	Your room is number 124, on the first floor
Por aquí / por allí, por favor	This way, please
Hay que salir antes de las 12	You have to leave before 12 o'clock
Hay que pagar por adelantado	You have to pay in advance
Hay que pagar al contado	You have to pay in cash

What you see

Apellidos	Second name
Nombre	First name
Domicilio / dirección	Address
Calle / número	Street/number
Ciudad / Población	City/Town
País	Country
Nacionalidad	Nationality
Fecha de nacimiento	Date of birth
Lugar de nacimiento	Place of birth
Número de pasaporte	Passport number
Fecha y firma	Date and signature

■ **During your stay: complaints.** All hotels, hostels and pensions have a complaints' book for you to record the reason for any complaint, if you receive bad treatment or the accommodation is in bad condition.

Words you might need

air conditioning	**aire acondicionado**	*aire akondisionado*
hot/cold water	**agua fría / caliente**	*agwa free-a/kaleee-ente*
pillow	**almohada**	*almo-ada*
bathtub	**bañera**	*banyera*
bidet	**bidet**	*beedet*
light bulb	**bombilla**	*bombeeya*
heating	**calefacción**	*kalefacsion*
bed	**cama**	*kama*
shower	**ducha**	*doocha*
plug	**enchufe**	*enchoofe*
tap	**grifo**	*greefo*
soap	**jabón**	*habon*
lamp	**lámpara**	*lampara*
wash basin	**lavabo**	*lavabo*
key	**llave**	*yavay*
blanket	**manta**	*manta*
door	**puerta**	*pwerta*
toilet	**retrete / váter / inodoro**	*retrete/vater/inodoro*
broken	**roto / estropeado**	*roto/estropeado*
noise	**ruido**	*roo-eedo*
sheet(s)	**sábana(s)**	*sabana(s)*
dirty	**sucio**	*susee-o*
towel(s)	**toalla(s)**	*to-aya*

What you say

Do you have another blanket, please?	**¿Tendría una manta más, por favor?**
	tendree-a una manta mas, por favor?
Can you give me another pillow?	**¿Me puede dar otra almohada?**
	me pwayde dar otra almo-ada?
There is no hot water	**No hay agua caliente**
	no eye agwa kaleee-ente
We can't sleep for the noise	**No podemos dormir por el ruido**
	no podemos dormeer por er roo-eedo
The room hasn't been cleaned	**No han limpiado la habitación**
	no an limpee-ado la habitasion
The heating doesn't work	**La calefacción no funciona**
	la kalefacsion no funsee-ona
The bed is very noisy	**La cama hace mucho ruido**
	la kama asay mucho roo-eedo

've lost my key	**He perdido la llave** *ay perdido la yavay*
can't open the door	**No puedo abrir la puerta de la habitación** *no pwaydo abreer la pwerta de la abitasion*
The blankets/sheets are dirty	**Las mantas / sábanas están sucias** *las mantas/sabanas estan susee-as*
There is/are no hot water/soap/ towels/sheets	**No hay agua caliente / mantas / toallas / jabón** *no eye agwa kalee-ente/mantas/to-ayas/habon*
The heating/plug/air conditioning doesn't work	**La calefacción / el enchufe / el aire acondicionado no funciona** *la kalefacsion/el enchoofe/el aire akondisionado no funsee-ona*
The window doesn't close	**La ventana no cierra bien** *la ventana no see-era bee-en*
The sink/shower is blocked	**El lavabo / la ducha está atascado** *el lavabo/la doocha esta ataskado*
There is no electricity	**No hay luz** *no eye lus*
The tap drips	**El grifo gotea** *el greefo gotay-a*
There are cockroaches/insects in the room	**He visto cucarachas / bichos en la habitación** *ay visto kukarachas/beechos en la abitasion*
I'd like to change rooms	**Quisiera cambiar de habitación** *kisee-era kambee-ar de abitasion*
I'd like to speak to the manager	**Quisiera hablar con el director** *kisee-era hablar kon el direktor*
Please give me the complaints' book	**Quiero el libro de reclamaciones** *kee-ero el leebro de reclamasiones*

What you hear

¿A qué hora quiere que le despertemos?	What time would you like your wake up call?
¿Qué ocurre?	What happened?

¿Tiene algún problema?	Is there a problem?
¿Va todo bien?	Is everything OK?
¿Necesita algo?	Do you need anything?
Disculpe, no disponemos de otra habitación	I'm sorry. There aren't any other rooms
De acuerdo	OK
Puede desayunar desde las 8 hasta las 10:30	Breakfast is from 8 until 10:30
Ahora lo arreglamos	We'll fix it right now
Disculpen las molestias	I'm sorry

Checking out. You usually need to check out before 12 o'clock midday, but check, as every hotel has its own rules. Most hotels have safe places where you can leave your luggage on the day of departure.

What you say

We're/I'm leaving tomorrow morning	Nos vamos / me voy mañana por la mañana
	nos vamos/me voy manyana por la manyana
We're/I'm leaving now	Nos vamos / me voy ahora
	nos vamos/me voy a-ora
The bill, please	¿Nos podría dar la cuenta?
	nos podree-a dar la kwenta?
Is it possible to stay another night?	Quisiéramos quedarnos una noche más, ¿es posible?
	kisee-eramos kaydar una noche mas, es poseeble?
What time do we have to check out?	¿A qué hora hay que dejar la habitación?
	a kay ora eye que dehar la habitasion?
Where can we leave our luggage until we leave?	¿Dónde podemos dejar el equipaje hasta que nos vayamos?
	donday podemos dehar el ekipahe asta kay nos vayamos?
I've phoned 3 times	He llamado 3 veces por teléfono
	ay yamado 3 veses por telefono
Can you prepare the bill, please?	¿Nos puede hacer una factura?
	nos pwede aser una factura?

I think there is a mistake on the bill	**Creo que hay un error en la cuenta**
	crayo kay eye un error en la kwenta
Can you give me a more detailed bill?	**¿Puede darnos un recibo más detallado?**
	pwayde darnos un reseebo mas detayado?
Here are the keys	**Aquí están las llaves**
	akee estan las yaves

What you hear

Les vamos a hacer una factura	We will prepare the bill
Disculpen, nos hemos equivocado	I'm sorry, we have made a mistake
Tienen que dejar la llave	Please leave the keys here
Espero que haya disfrutado de su estancia	I hope you enjoyed your stay

3.2 Permanent accommodation

■ **Looking for a home.** Accommodation in Spain is expensive in comparison to many other European countries. Both rented accommodation and mortgages account for the biggest share of most Spanish people's income. And as the Spanish prefer buying to renting, the amount of property available to rent is smaller than in many other European countries.

You can use a rental agency or look in the local newspapers to find a flat to rent. The classified sections of the newspapers usually have a *«Vivienda»* (Accommodation) or *«Alquiler»* (To rent) section. The accommodation on offer is usually listed by price (from cheapest to most expensive) and then by area.

The advert could be from a person or from an agency. It is usually cheaper to rent direct from the owners of the property (you can identify them by the word *«Particular...»* or *«Propietario...»* - private), as that way there is no middleman. Agencies make the process of finding and renting easier, but they charge for their services, which make the end price you pay more expensive.

When agreeing to rent you will probably be asked for a deposit or even a bank guarantee. If you do, it is important to have the rental agreement in writing to avoid possible problems in the future. It is also a good idea to con-

3 Somewhere to stay

tract insurance against damage or fire, even though it is a rented property. This type of insurance is usually quite cheap.

Words you might need

accommodation agency	agencia inmobiliaria	ahensee-a inmobilee-aree-a
rent	alquilar / alquiler	alkilar/alkiler
classified adverts	anuncios por palabras	anunsee-o por palabras
flat	apartamento	apartamento
lift	ascensor	assensor
bathroom	baño	banyo
gas cylinder	butano	bootano
heating	calefacción	kalefacsion
centre	centro	sentro
kitchen	cocina	kosina
dining room	comedor	komedor
residents' committee	comunidad de vecinos	komoonidad de veseenos
contract	contrato	kontrato
stairs	escalera	eskalera
studio	estudio	estoodee-o
deposit	fianza	fee-ansa
natural gas	gas natural	gas natural
room/rooms	habitación / habitaciones	abitasion/abitasiones
tenant	inquilino / arrendatario	inkileeno/arrendataree-o
interior/exterior	interior / exterior	interee-or/exteree-or
left	izquierda	iskee-erda
corridor	pasillo	paseeyo
flat	piso	peeso
furnished flat	(piso) amueblado	(peeso) amweblado
unfurnished flat	(piso) vacío	(peeso) vasee-o

When you rent a flat, the owner can ask you for 1 or 2 months rent as a deposit *(fianza)*. They keep this money in case there is any problem with the flat or you don't pay the rent while you are living there, and return it when you leave. If you don't have a payslip from your job, they may ask for another type of guarantee, an *aval bancario*. This is sum of a money that is deposited in a bank account, and which you cannot use during the period that you are renting the flat.

The service charge for the building *(comunidad de vecinos)* is usually paid by the owner. However, you should always ask about this before you sign the contract.

private	particular	*partikular*
floor	planta	*planta*
owner	propietario / arrendador	*propietaree-o/arrendador*
renovate	renovar	*renovar*
living room	salón	*salon*
living room dining room	salón comedor	*salon komedor*
terrace	terraza	*terrasa*
window	ventana	*ventana*

What you see

A.a. (armario empotrado)	Built-in wardrobe
A.c. (aire acondicionado)	Air conditioning
Anticipo / xx meses de anticipo	Payment in advance/xx months in advance
Apartamento	Flat
Ascensor	Lift
Aseo	Toilet
Ático	Attic
Av./avda. (avenida)	Avenue
Bº (barrio)	Area
Balcón / balcones	Balcony/balconies
Baño(s) completo(s)	Complete bathroom(s)
C/ (calle)	Street
Caldera gas	Gas boiler
C.i./ Calef. Indiv. (calefacción individual)	Central heating (for your flat)
C.c. (calefacción central)	Central heating (for the whole building)
Céntrico	Central
Coc. (cocina)	Kitchen
Cocina amueblada	Kitchen with appliances
Comunicado	Well connected
Contrato	Contract
Ctra. (carretera)	Main road
Dcha. (derecho/-a)	Right
Dorm. (dormitorio)	Bedroom
Edif. (edificio)	Building
En perfecto estado	In good condition
Estudio	Studio
Ext. (exterior)	Exterior
Fianza	Deposit
Garaje	Garage

G.n. (gas natural)	Natural gas
Gta. (glorieta)	Roundabout
Hab. (habitación)	Room
Horno	Oven
Inmobiliaria	Property company
Int. (interior)	Interior
Izq. (izquierda)	Left
Junto a metro	Next to the underground
Jardín	Garden
Lavadora	Washing machine
Luminoso	Light
Llamar a partir de XX horas	Call after XX o'clock
m^2	m^2
Nevera	Fridge
Nueva construcción	New building
Nuevo	New
Orientación norte / sur / este / oeste	North/south/east/west facing
Parquet	Parquet floor
Patio	Patio
Piso / planta	Floor
Planta baja	Ground floor
Plza. (plaza)	Plaza
Puerta blindada	Reinforced door
Rda. (ronda)	Ring road
Ref. (referencia)	Reference
Renovado / reformado	Renovated
S/n (sin número)	Without a number
Salón / salón-comedor	Living room/living room dining room
Se alquila piso	Flat for rent
Secadora	Drier
Seminuevo	Semi-new
Tel. (teléfono)	Telephone
Tendedero	Clothes drying facility
Terraza	Terrace
Terraza acristalada	Glassed in terrace
Trastero	Store room
Trv. (travesía)	Side street
Urb. (urbanización)	Estate
Ventanas climalit	Double glazing
Vitrocerámica	Ceramic hob
Zona	Area
Zona ajardinada	Gardens

What you say

Do you have a flat for rent?	**¿Alquilan un piso?** *alkeelan un peeso?*
I'm calling about the advert for the flat	**Llamaba por el anuncio del piso** *yamaba por el anunseo del peeso*
I'm interested in renting the flat	**Estoy interesado en alquilar el piso** *estoy interesado en alkeelar el peeso*
Are you the owner?	**¿Es usted el propietario,-a?** *es usted el propietaree-o,-a?*
How big is it?	**¿Cuántos metros tiene?** *kwantos metros tee-ene?*
How many room does it have?	**¿Cuántas habitaciones tiene?** *kwantas abitasee-ones tee-ene?*
How much is it per month?	**¿Cuánto cuesta al mes?** *kwanto kwesta al mes?*
Is the service charge included?	**¿Está incluida la comunidad de vecinos?** *esta inclu-eeda la komunidad de veseenos?*
Do you need a deposit?	**¿Hay que dejar fianza?** *eye kay dehar fee-ansa?*
How many months is the deposit?	**¿Cuántos meses de fianza?** *kwantos meses de fee-ansa?*
Is it well connected?	**¿Está bien comunicado?** *esta bee-en komunikado?*
Is it near the underground/station?	**¿Está cerca del metro / de la estación?** *esta serka del metro/de la estasion?*
Is it furnished/unfurnished?	**¿Está amueblado / vacío?** *esta amweblado/vasee-o*
Does it have a washing machine and fridge/freezer?	**¿Tiene lavadora y frigorífico / nevera?** *teene lavadora y frigorifiko/nevera?*
Does it have communal/individual central heating?	**¿Tiene calefacción central / individual?** *tee-ene kalefacsion sentral/individual?*
Does it have natural gas?	**¿Tiene gas natural?** *tee-ene gas natural?*
What floor is it on?	**¿Qué planta / piso es?** *kay planta/peeso es?*
Is it interior or exterior?	**¿Es interior o exterior?** *es interee-or o exteree-or?*
Does it have a lift?	**¿Tiene ascensor?** *tee-ene assensor*

3 Somewhere to stay

When can we see it?	**¿Cuándo podemos verlo?**
	kwando podemos verlo?
The owners pays the service charge, don't they?	**¿La cuota de Comunidad de Vecinos corre por cuenta del propietario, verdad?**
	la kwota de komunidad de veseenos korre por kwenta del propietaree-o, verdad?
When can we sign the contract?	**¿Cuándo podríamos firmar el contrato?**
	kwando podree-amos firmar el kontrato?

What you hear

Sí, está en alquiler	Yes, it is for rent
Está alquilado ya	It is already rented
Son XX meses de fianza	You have to pay XX months as a deposit
Pedimos aval bancario	We need a bank guarantee
Pedimos contrato de trabajo y nóminas	We need a job contract and a payslip
Podemos verlo cuando usted quiera	You can see it whenever you want
Sólo por las tardes / mañanas	Only in the evening/mornings
Quedamos a las 8 para verlo	Let's meet at 8 o'clock to see it

Shopping

4

There are many different places to shop in Spain: local shops, markets, supermarkets, shopping malls and department stores.

With the exception of the department stores, some supermarkets and shops in the centres of big cities, most shops close for lunch. Only the department stores and bigger stores stay open all day, between 10 in the morning and 10 at night, from Monday to Saturday, and sometimes even open on public holidays.

In supermarkets and department stores, you serve yourself and then pay at the till on the way out. !

 It is important to keep the receipt *(tíquet)* when you buy something, just in case you want to return it because it is not the product you wanted or it is not in good condition. With clothes, you should never remove any of the labels before you are completely satisfied with the product as once they have been removed the shop will not change them.

4 Shopping

4.1 Where to buy

■ **Going shopping.** If you live in a city there will be a wide range of places for you to go shopping in, from the local shop, where you might be served by the owner, to supermarkets and hypermarkets (the latter are usually outside, or on the edge of, the city). We will now explain in general the types of shop that you will find, so that you know where to go to buy each product, and the advantages of each type of shop:

• **Shops.** There are many small, local shops in Spain and they usually specialise in just one thing. They are often family businesses and you will receive personal attention. For example, in a *droguería* (toiletries, cosmetics and cleaning product shop) they sell cleaning and personal hygiene products; in an *estanco* (tobacco shops) they sell tobacco, stamps and envelopes and in a *mercería* (haberdashery) you can find cloth and thread and even underwear. When it comes to food, there are also many specialised shops: in a *charcutería* (butcher's) you can buy many types of cured meats and cheese; in a *casquería* (tripe and offal shop) you can buy internal organs of pigs, sheep and cows; in a *variantes* shop you can buy dried fruit and nuts, pickles, tins of conserved food and sweets.

• **Markets.** You can find all the basic food shops in the market. Each shop is known as a *puesto* (stall). Most markets have different opening hours in the summer to the rest of the year, but they always close at midday. Some markets even have their own car park, which is sometimes free if you make some purchases and don't stay for more than an hour. They are open from Monday to Friday and on Saturday morning.

• **Street markets.** Many small towns and villages, and even some areas of big cities, have a weekly street market (usually on Saturday or Sunday). All types of products are on sale at these markets, from food to clothes, at lower prices than in traditional shops. Although all the products are usually clearly marked with their price —which you can see on a small poster or price tag— you can usually negotiate, particularly if you are buying a big quantity or more than one product.

• **Supermarkets, hypermarkets, department stores and shopping malls.** These types of shops generally sell food, cleaning and personal hygiene products, clothes, stationery etc. They have different opening hours; most supermarkets close at lunchtime, whilst some of the bigger shops stay open continuously from 10 in the morning to 10 at night (the majority of the hypermarkets and department stores).

Supermarkets are divided into *secciones* (sections), not stalls. They are usually self-service: you select the products that you want, put them in your basket or trolley and pay for them all at the till when you leave the shop. For hygiene reasons, in the fruit and vegetable section you have to put on plastic gloves before touching the food, putting it in a bag and weighing it. Some supermarkets also have their own butcher's, cured meat and cheese, fish, chicken, bread and fruit and vegetable stalls. Most of the bigger shops also sell products under their own brand name, these are called *marcas blancas* (own label), and are usually cheaper than more famous brands.

Words you might need

baker's shop	**panadería**	*panaderee-a*
butcher's shop	**carnicería**	*karniseree-a*
cake shop	**pastelería**	*pasteleree-a*
cleaning products shop	**droguería**	*drogeree-a*
clothes shop	**tienda de ropa**	*tee-enda de ropa*
cooked meat and cheese shop	**charcutería**	*charkooteree-a*
chicken shop	**pollería**	*poyeree-a*
dairy products shop	**lechería /**	*lecheree-a/*
	productos lácteos	*produktos laktay-os*
department store	**gran almacén**	*gran almasen*
dry cleaner's	**tintorería**	*tintoreree-a*
fish shop	**pescadería**	*peskaderee-a*
fruit shop	**frutería**	*frooteree-a*
hypermarket	**hipermercado**	*eepermerkado*
jeweller's shop	**joyería**	*hoyeree-a*
kiosk	**kiosco**	*kee-osko*
launderette	**lavandería**	*lavanderee-a*
market	**mercado**	*merkado*
shopping mall	**centro comercial**	*sentro komersial*
stationery shop	**papelería**	*papeleree-a*
street market	**mercadillo**	*merkadeyo*
supermarket	**supermercado**	*soopermerkado*
sweet shop	**confitería**	*konfiteree-a*
tobacco shop	**estanco**	*estanko*
tripe and offal shop	**casquería**	*kaskeree-a*

> **!** **Changing products and getting your money back.** Most shops will exchange defective products or those that the client does not like for some justified reason. Usually only the larger department stores and hypermarkets will return your money, if you don't want the product that you bought. Smaller shops will usually give you a voucher for the value of the thing you have returned, and you can exchange this for other products in the same shop (there is a time limit which should be indicated on the voucher).
>
> It is impossible to return any products if you don't have the receipt (*el tíquet*), so always remember to ask for one when you buy something.

4 Shopping

4.2 Food and drink

Being served. In local shops, at a market stall, and even in some food sections in the supermarket or hypermarket, it is essential to know the order that customers are going to be served in and to wait for your turn. It may appear chaotic, but there is an order based on when you arrived. In most supermarkets and hypermarkets you have to get a number from a machine and wait for that number to be called. However, when there is no system of numbers you have to «*pedir la vez*» (ask about the queue), ask in which order the clients are going to be served, and in particular, who is last in the queue, as it will be your turn after them. To do this you will need to use phrases like «*¿Quién es el último?*» and «*¿Quién da la vez?*» («Who is last in the queue?» and «Whose turn is it?») to find out who is in front of you. We also have to «*dar la vez*» (say we are last in the queue) to the next person who arrives after us and asks —if you don't do this, the person may try to get served before you, assuming you are not in the queue.

What you say

Whose turn is it?	**¿Quién da la vez?**
	kee-en da la ves?
Who is last in the queue?	**¿Quién es el último,-a?**
	kee-en es el ultimo,-a?
Who is last in the queue?	**¿El último, por favor?**
	el ultimo, por favor?
Excuse me, are you the last in the queue?	**Disculpe / perdone, ¿es usted el último/-a?**
	diskulpe/perdone, es usted el ultimo/-a?
Me, us	**Yo, nosotros/-as**
	yo, nosotros/-as
Me	**Un servidor / una servidora**
	un servidor/una servidora
This man/woman	**Este señor / esta señora**
	este senyor/esta senyora
Do you have to get a number?	**¿Hay número?**
	eye noomero?
Where do you get the number?	**¿Dónde se coge el número?**
	donde se koge el noomero?

> **!** It is like a type of social ritual, and it is very impolite to ignore it —so always remember to ask for your turn, and to tell the person who joins the queue after you!

Food packaging

Words you might need

a kilo	un kilo, 1 kg	*un keelo*
a litre	un litro, 1 l	*un leetro*
bag	bolsa	*bolsa*
big	grande	*grande*
bottle	botella	*boteya*
box	caja	*kaha*
box	cartón	*karton*
dozen	docena	*dosena*
fine	fino/-a	*feena*
gram	gramo	*gramo*
gross weight	peso bruto	*peso brooto*
half dozen	media docena	*medee-a dosena*
half kilo	medio kilo, ½ kg	*medee-o keelo*
half litre	medio litro, ½ l	*medee-o leetro*
net weight	peso neto	*peso neto*
one tonne	tonelada, t	*tonelada*
packet	envase	*envase*
packet	paquete	*pakete*
piece	trozo	*troso*
pot	tarro	*tarro*
quarter kilo	cuarto de kilo, ¼ kg	*kwarto de keela*
quarter litre	cuarto de litro, ¼ l	*kwarto de leetro*
slice	loncha / rodaja	*loncha / rodaha*
thick	grueso,-a / gordo,-a	*grwesa/gorda*
three quarters of a kilo	tres cuartos de kilo, ¾ kg	*tres kwartos de keelo*
tin	lata	*lata*

Buying food. The Spanish have an enormous range of fish, fruit and vegetables on sale as a result of the varied climate of the country and its traditions. There may be many things that you are not familiar with, but you should try them, as the quality is very high. If you don't know what something is, or what to do with it, ask the person serving you or someone in the queue, you will find they are usually happy to give you advice.

Words you might need

Fruit and vegetables

apple	manzana	*mansana*
apricot	albaricoque	*albarikoke*

artichoke	alcachofa	alkakochofa
asparagus	espárrago	esparrago
aubergine	berenjena	berenhena
avocado	aguacate	agwakate
banana	plátano	platano
beetroot	remolacha	remolacha
broccoli	brécol	brekol
cabbage	col / repollo / berza	kol/repoyo/bersa
carrot	zanahoria	sana-oree-a
cauliflower	coliflor	koliflor
celery	apio	apee-o
coconut	coco	koko
coriander	cilantro	silantro
corn	maíz	ma-ees
courgette	calabacín	kalabasin
cucumber	pepino	pepeeno
curly endive	escarola	eskarola
chard	acelga	aselga
cherry	cereza	seresa
date	dátil	datil
date plum	caqui	kakee
endive	endivia	endivee-a
fig	higo	eego
garlic	ajo	aho
grape	uva	oova
grapefruit	pomelo	pomelo
green bean	judías verdes	hudee-as verdes
kiwi fruit	kiwi	keewee
leek	puerro	pwerro
lemon	limón	limon
lettuce	lechuga	lechooga
mandarin	mandarina	mandareena
mango	mango	mango
medlar	níspero	nispero
melon	melón	melon
mint	menta / hierbabuena	menta/ee-erbabwena
mushroom	champiñón	champinyon
onion	cebolla	seboya
orange	naranja	naranha
papaya	papaya	papaya
pea	guisante	geesante
peach	melocotón	melokaton

pear	pera	*pera*
pineapple	piña	*peenya*
plum	ciruela	*sirwela*
pomegranate	granada	*granada*
potato	patata	*patata*
quince	membrillo	*membreeyo*
radish	nabo	*nabo*
radish	rabanito	*rabaneeto*
red/green pepper	pimiento rojo / verde	*pimee-ento roha/verde*
soya	soja	*soha*
spinach	espinaca	*espinaka*
sprouts	coles de bruselas	*koles de bruselas*
squash	calabaza	*kalabasa*
strawberry	fresa	*fresa*
tomato	tomate	*tomate*
watercress	berro	*berro*
watermelon	sandía	*sandee-a*
wild mushroom	seta	*seta*
yucca	yuca / mandioca	*yuka/mandee-oka*

Fish and seafood

anchovy/fresh anchovy	anchoa / boquerón	*anchow-a*
clam	almeja	*almeha*
cod	bacalao	*bakalow*
crab	cangrejo de mar / de río	*kangreho de mar/de ree-o*
cuttlefish	sepia	*sepee-a*
gilt head bream	dorada	*dorada*
grouper	mero	*mero*
john dory	gallo	*gaya*
langoustine	langostino	*langosteeno*
mackerel	caballa	*kabaya*
monkfish	rape	*rape*
mussel	mejillón	*meheeyon*
octopus	pulpo	*pulpo*
prawn	gamba	*gamba*
salmon	salmón	*salmon*
sardine	sardina	*sardeena*
sea bass	lubina	*lubeena*
snail	caracol(es)	*karakol(es)*
sole	lenguado	*lengwado*
squid	calamar	*kalamar*
swordfish	emperador / pez espada	*emperado/pes espada*
trout	trucha	*troocha*

4 Shopping

tuna	atún / bonito	atun/boneeta
turbot	rodaballo	rodabayo
whiting	pescadilla	peskadeeya
Meat		
beef	ternera	ternera
beef chop	chuletón	chooleton
bone	hueso	weso
brisket	morcillo	morseeyo
chop	chuleta	chooleta
cow	vaca	vaka
entrecote	entrecot	entrekot
fillet	filete	filete
fillet steak	solomillo	solomeeyo
leg	pierna	pee-erna
mince	carne picada	karne pikada
ox	buey	bwey
pork	cerdo	serdo
ribs	costillas	kosteeyas
shoulder	paletilla	paleteeya
skirt	falda	falda
young lamb	cordero lechal	kordero lechal
Offal		
brains	sesos	sesos
breast	pechuga	pechooga
chicken	pollo	poyo
chicken hamburgers	hamburguesas de pollo	amburgaysas de poyo
chicken sausages	salchichas de pollo	salcheechas de poyo
chicken wings	alas de pollo	alas de poyo
chicken/turkey fillets	filetes de pollo / pavo	filetes de poyo/pavo
ear	oreja	oreha
eggs	huevos	wevos
head	cabeza	kabesa
heart	corazón	korason
hen	gallina	gayeena
hoofs	manitas	maneetas
kidney	riñones	rinyones
liver	hígado	igado
livers	higaditos	igadeetos
lung	pulmón	pulmon
offal	asadura	asadoora
partridge	perdiz	perdees
pigeon	pichón	pichon

Poultry		
quail	**codorniz**	*kodornees*
rabbit	**conejo**	*koneho*
snout	**morro**	*morro*
sweetbreads	**mollejas**	*moyehas*
testicles	**criadillas**	*kree-adeeyas*
thigh	**muslo**	*muslo*
tongue	**lengua**	*lengwa*
tripe	**callos**	*kayos*
turkey	**pavo**	*pavo*

Cooked Meat and preserved products		
boiled ham	**jamón (de) york**	*hamon (de) york*
cured chicken	**fiambre de pollo**	*fee-ambre de poyo*
cured turkey	**fiambre de pavo**	*fee-ambre de pavo*
cheese cake	**tarta de queso**	*tarta de kayso*
fresh cheese with/ without salt	**queso fresco con / sin sal**	*kayso fresko kon/sin sal*
goat's cheese	**queso de cabra**	*kayso de kabra*
ham	**jamón**	*hamon*
meat pie	**empanada de carne**	*empanada de karne*
mortadela	**mortadela**	*mortadela*
pâté	**paté**	*pate*
quince paste	**dulce de membrillo**	*dulse de membreeyo*
sausages	**salchichón**	*salchichon*
sheep's cheese	**queso de oveja**	*kayso de oveha*
soft cheese	**queso tierno**	*kayso tee-erna*
spicy sausage	**chorizo**	*choreeso*
tuna pie	**empanada de bonito**	*empanada de boneeto*
pasteurised cheese	**queso curado**	*kayso kurado*
whey cheese	**requesón**	*rekayson*

Food products		
beans	**alubias**	*aloobee-as*
biscuits	**galletas**	*gayetas*
bread crumbs	**pan rallado**	*pan rayada*
buns	**magdalenas**	*magdalenas*
butter/pinto beans	**judías blancas / pintas / alubias**	*hoodee-as blankas/ pintas/aloobee-as*
cannelloni	**canelones**	*kanelones*
chamomile	**manzanilla**	*mansaneeya*
chick peas	**garbanzos**	*garbansos*
chocolate	**chocolate**	*chokolate*
coffee	**café**	*kafé*

4 Shopping

cream	**nata**	*nata*
drinks	**bebidas**	*bebeedos*
flour	**harina**	*areena*
fried/uncooked tomato	**tomate frito / natural**	*tomate freeto/natural*
ginger	**jengibre**	*henheebre*
herbal teas	**infusiones**	*infoosee-ones*
juice	**zumo**	*soomo*
lasagna	**lasaña**	*lasanya*
lentils	**lentejas**	*lentehas*
limeflower	**tila**	*teela*
macaroni	**macarrones**	*makarrones*
mayonnaise	**mahonesa**	*ma-onesa*
milk	**leche**	*leche*
milk shake	**batido**	*bateedo*
mint tea	**menta-poleo**	*menta-polay-o*
noodles	**fideos**	*fiday-os*
oil	**aceite**	*asayte*
paprika	**pimentón**	*pimenton*
pepper	**pimienta**	*pimee-enta*
pulses	**legumbres**	*legumbres*
ravioli	**raviolis**	*ravee-olis*
rice	**arroz**	*arros*
salt	**sal**	*sal*
semolina/couscous	**sémola / cuscús**	*semola/kuskus*
soft drinks	**refrescos**	*refreskos*
spaghetti	**espagueti(s)**	*espageti(s)*
sponge cake	**bizcochos**	*biskochos*
stock cubes	**pastillas de caldo**	*pasteeyas de kaldo*
sugar	**azúcar**	*asookar*
tea	**té**	*tay*
tinned products	**conservas (lata / bote de....)**	*konservas (lata/bote de....)*
vinegar	**vinagre**	*vinagre*
water	**agua**	*agwa*
yoghurt	**yogur**	*yogur*
The bakery		
bread	**pan**	*pan*
buns	**magdalenas**	*magdalenas*
croissant	**cruasán**	*krwasan*
sliced bread	**pan de molde**	*pan de molde*
toast	**pan tostado**	*pan tostado*
wholemeal bread	**pan integral**	*pan integral*

Frozen food

Fish	pescado	peskado
Ice cream	helado	elados
Seafood	marisco	marisko
Vegetables	verdura	verdoora

Dried fruit and nuts

Almond	almendra	almendra
Aubergine	berenjena	berenhena
Cashew nuts	anacardo	anakardo
Dried peanuts	panchitos (cacahuetes fritos)	pancheetos (kakawetes freetos)
Gherkins	pepinillo	pepeneeyo
Hazelnuts	avellana	aveyana
Nut	nuez / nueces	nwes/nweses
Olive	aceituna	asaytoona
Peanuts	cacahuetes	kakawete
Pistachio nut	pistachos	pistachos
Potato crisps	patatas fritas	patatas freetas
Pumpkin seeds	pipas de calabaza	peepas de kalabasa
Spicy pepper	guindilla	gindeeya
Spring onions	cebollitas	seboyeetas
Sunflower seeds	pipas de girasol	peepas de hirasol

What you say

What time does the market open/close?	¿A qué hora abre /cierra el mercado?
	a kay ora abre/see-era el merkado?
How much is it per kilo?	¿Cuánto cuesta el kilo?
	kwanto kwesta el keelo?
How much is a litre of juice?	¿Cuánto vale un litro de zumo?
	kwanto vale un leetro de soomo?
Is there a special offer on lamb?	¿Está en oferta el cordero?
	esta en oferta el kordero?
A kilo of beef/a litre of milk, please	¿Me da un kilo de carne de ternera / un litro de leche?
	me da un keelo de karne de ternera/oon leetro de leche?
I'd like two sea bass, please	Quiero 2 lubinas
	kee-ero 2 loobeenas
Can you cut this piece into slices for me?	¿Me puede cortar ese trozo en lonchas?
	me pwayde kortar ese troso en lonchas?

4 Shopping

I'd like two slices of tuna, please	**Quería 2 rodajas de bonito** *keree-a 2 rodahas de boneeto*
I'd like half a kilo of plums, please	**Póngame medio kilo de ciruelas** *pongame medee-o keelo de sirwelas*
Can I try some?	**¿Puedo probarlo?** *pwayda probarlo?*
A dozen eggs, please	**¿Me da una docena de huevos?** *me da una dosena de hwevos?*
I don't want so much	**No necesito tanto** *no neseseeto tanto*
It is fine like that	**Está bien así** *esta bee-en asee*
A little more, please	**¿Me pone un poquito más?** *me pone un pokeeto mas?*
OK	**Vale** *vale*
That is too much; give me a little less, please	**No, es mucho, póngame menos** *no, es mucho, pangame menos*
Nothing else, thank you	**Nada más, gracias** *nada mas, grasee-as*

What you hear

¿Qué desea? / ¿Qué le pongo? / ¿Qué quiere?	What would you like?
¿Cuánto quiere?	How much do you want?
¿Está bien así?	Is that right?
Aquí tiene	Here you are
¿Así?	Like this?
¿Algo más? / ¿Qué mas? / ¿Quiere algo más? / ¿No quiere nada más?	Anything else?/What else?/Would you like anything else?/Don't you want anything else?
¿No quiere unas uvas?	Don't you want some grapes?
Los tomates están en oferta	There is an offer on the tomatoes

What you see

2x1	Two for the price of one
Empujar	Push
Entrada	Entrance

lévese 3 y pague 2	3 for the price of 2
ferta	Special offer
romoción	Promotion
egalo	Present
alida	Exit
alida de emergencia	Emergency exit
irar	Pull

4.3 Clothes, shoes and accessories

Clothes and accessories. There are many different systems for sizes for clothes in different countries. Spain uses standard European sizes, which may be different from those in your country. For that reason we have included a comparison with the sizes you find in Britain and the United States, which are the two main alternatives. In general, women's clothes are divided into: S (*pequeña* - small), M (*mediana* - medium) y L (*grande* - large). For men there is usually an extra size, XL (*extra grande* - extra large). You can often find special offers on clothes —look for the «*rebajas*» and «*liquidación*» (sales) signs. However, the months when you are guaranteed to find special offers are January and August. **!**

Women's dresses

S	6-7	8-9	10-11	12-13	14
K	7-8	9-10	11-12	13-14	15
spaña	36	38	40	42	44

Women's shoes

S	6	7.5	9	10	12
K	3.5	5	6.5	7.5	9.5
spaña	36	38	40	42	44

Men's suits

S	38	40	42	44	46	48
K	38	40	42	44	46	48
spaña	48	50	52	54	56	58

 The sales are a great opportunity to buy the clothes that you need, however, consumer's associations advise you to ask to see the pre-sale price so that you can see that you really are saving money. Whatever you buy, always remember to keep your receipt in case you need to return it.

4 Shopping

Men's shirts

US	14	14.	15	15.	16	16.'
UK	14	14.5	15	15.5	16	16.'
España	36	37	38	39	41	42

Men's shoes

US	8.5	9	10	11	12
UK	8	8,5	9,5	10,5	11,'
España	42	43	44	45	46

Children's clothes

US	The sizes are based on the age of the child.
UK	
España	

Children's shoes

US		9.5	10.5	11.5	11.5	12.5	13.5	1.5	2
UK	7	8	9	10	11	12	13	1	1
España	24	26	27	28	29	30,5	31.5	33	34

Words you might need

anorak	**anorak**	*anorak*
assistant	**dependiente**	*dependee-ente*
bag	**bolso**	*bolso*
belt	**cinturón**	*sinturon*
blouse	**blusa**	*bloosa*
bomber jacket	**cazadora**	*kasadora*
bra	**sujetador / sostén**	*suhetador/sosten*
cap	**gorro**	*gorro*
colour	**color**	*kolor*
cotton	**algodón**	*algodón*
changing room	**probador**	*probador*
checked	**a cuadros**	*a kwadros*
gloves	**guantes**	*gwantes*
handkerchief	**pañuelo**	*panywelo*
hat	**sombrero**	*sombrero*
jacket	**chaqueta**	*chaketa*
jeans	**pantalón vaquero**	*pantalon vakero*
jersey	**jersey**	*hersey*
knickers	**bragas**	*bragas*

large	grande, L	*grande*
lycra	lycra	*leekra*
made of	composición	*komposición*
medium	mediana, M	*medee-ana*
overcoat	abrigo	*abreego*
pattern	estampado	*estampado*
polyester	poliéster	*poli-ester*
pyjamas	pijama	*pihama*
raincoat	gabardina / impermeable	*gabardeena/impermee-able*
salesperson	vendedor/-a	*vendedor/-a*
scarf	bufanda	*boofanda*
shirt	camisa	*kameesa*
size	talla	*taya*
size	tamaño	*tamanyo*
skirt	falda	*falda*
small	pequeña, S	*pekenyo*
smooth	liso	*leeso*
socks	calcetines	*kalseteenes*
stockings	medias	*medee-as*
striped	a rayas	*a rayas*
suit jacket	traje (de) chaqueta	*trahe (de) chaketa*
suit trousers	traje (de) pantalón	*trahe (de) pantalon*
swim suit	traje de baño / bañador	*trahe de banyo/bayador*
tie	corbata	*korbata*
trousers	pantalón	*pantalon*
t-shirt	camiseta	*kamiseta*
umbrella	paraguas	*paragwas*
underpants	calzoncillos	*kalsonseeyos*
waistcoat	chaleco	*chaleko*
wool	lana	*lana*

What you say

Excuse me, could you help me?	**Por favor, ¿me puede atender?**
	por favor, me pwayde atender?
Hello, I'm looking for a shirt	**Buenos días, quería una camisa para mí**
	bwenos dee-as, keree-a una kameesa para me
I'd like a cotton shirt	**Quería una camiseta de algodón**
	keree-a una kamiseta de algodón
I'm looking for a wool jumper	**Estoy buscando un jersey de lana**
	estoy buskando un hersey de lana

4 Shopping

I'd like a pair of jeans	**Quiero un pantalón vaquero** *kee-ero un pantalon vakero*
Do you have dresses in my size?	**¿Tiene vestidos de mi talla?** *tee-ene vesteedos de mee taya?*
Can I try this shirt on?	**¿Me puedo probar esta camisa?** *me pwaydo probar esta kameesa?*
Where are the changing rooms?	**¿Dónde están los probadores?** *donde estan los probadores?*
Can I see a bigger/smaller size, please?	**Deme una talla más / menos** *deme una taya mas/menos*
Can I see a bigger/smaller one, please?	**Deme uno más grande / pequeño** *deme uno mas grande/pekenyo*
Do you have this skirt in a lighter colour?	**¿Tiene esta falda en un color más claro?** *tee-ene esta falda en un kolor mas claro?*
It suits/doesn't suit me	**Me queda bien / mal** *me kayda bee-en/mal*
It is too tight/big	**Me queda estrecho / ancho** *me kayda estrecho/ancho*
It is too big/small	**Me queda grande / pequeño** *me kayda grande/pekenyo*
It is too short/long	**Me queda corto / largo** *me kayda korto/largo*
How much is it?	**¿Cuánto vale? / ¿Cuánto cuesta?** *kwanto vale?/kwanto kwesta?*
That is very expensive	**Es muy caro** *es mwee karo*
I'd like something cheaper	**Lo quería más barato** *lo keree-a mas barato*
Can you wash it in the washing machine?	**¿Se puede lavar en la lavadora?** *se pwayde lavar en la lavadora?*
I'd like to change this	**Quería cambiar esto** *keree-a kambee-ar esto*
I haven't got the receipt	**No tengo el ticket de compra** *no tengo el ticket de kompra*
I'd like my money back	**¿Puede devolverme el dinero?** *pwayde devolverme el dinero?*
Can you alter it for me?	**¿Me lo pueden arreglar?** *me lo pwayden arreglar?*
When will it be ready?	**¿Para cuándo estará?** *para kwando estara?*

What you hear

Buenas días / tardes ¿qué desea?	Good morning/afternoon, can I help you?
¿Qué talla usa?	What size are you?
¿Qué color le gustaría?	What colour would you like?
Pruébese esto	Try this on
Los probadores están al fondo	The changing rooms are at the end
¿Qué tal le queda?	Do you like it?
Lo siento, no tenemos más tallas	I'm sorry, that is the only size we have
Hay que lavarlo a mano	It is hand wash only
No se puede meter en la lavadora	It is not machine washable
No devolvemos el dinero	I'm afraid we don't refund money
Tiene que llevarse otra cosa	You will have to exchange it
Lo hay en más colores	We have other colours

What you see

Caja	Till
Liquidación	Sale
Oportunidades	Bargains
Probadores	Changing rooms
Rebajas	Sale
Ropa de caballero	Men's clothes
Ropa de señora	Women's clothes
Ropa de niño	Children's clothes
Todo a 6 €	Everything 6 €

■ Shoes

Words you might need

ankle boot(s)	botín / botines	*boteen/-es*
boot(s)	**bota(s)**	*bota(s)*
buckle	**hebilla**	*ebeeya*
colour	**color**	*kolor*
flat	**sin tacón**	*sin takon*
flip-flops	**chancla(s)**	*chancla(s)*
heel	**tacón**	*takon*
insole(s)	**plantilla(s)**	*planteeya(s)*
instep	**empeine**	*empayne*

lining	forro	*forro*
rubber	goma	*goma*
sandal(s)	sandalia(s)	*sandalee-a(s)*
shoe horn	calzador	*kalsador*
shoe polish	betún / crema de zapatos	*betun/krema de sapatos*
shoe size	número de pie	*noomero de pee-e*
shoe(s)	zapato(s)	*sapato(s)*
slipper(s)	zapatilla(s)	*sapateeya(s)*
sole	suela	*swayla*
trainer(s)/sneaker(s)	zapatilla(s) de deporte	*sapateeya(s) de deporte*
with laces	con cordones	*kon kordones*

What you say

Could I try the shoes in the window, please?	Por favor, ¿me enseña los zapatos del escaparate?
	por favor, me ensenya los sapatos del eskaparate?
I'd like some black shoes	Quería unos zapatos negros
	keree-a unos sapatos negros
Do you have any brown sandals?	¿Tienen unas sandalias marrones?
	tee-enen unas sandalee-as marrones?
I need some high boots	Necesitaría unas botas altas
	nesesitaree-a unas botas altas
Do you have any slippers?	¿Tienen zapatillas para casa?
	tee-enen sapateeyas para kasa?
I want some comfortable shoes	Quisiera unos zapatos cómodos
	kisee-era unos sapatos komodos
I'd like some shoes with leather/rubber soles	Quiero unos zapatos con suela de cuero / de goma
	kee-ero unos sapatos kon swayla de kwero/de goma
I take size 41	Los necesito del número 41
	los neseseeto del noomero 41
with/without laces	Con / sin cordones
	kon/sin kordones
without heels/flat	Sin tacón / planos
	sin takon/planos
I'd like high heels	Los quiero de tacón alto
	los kee-ero de takon alto

They are too tight	**Me aprietan**
	me apree-etan
They are too small/big	**Me quedan pequeños / grandes**
	me kaydan pekenyos/grandes
Do you have them a size bigger/ smaller?	**¿Tendría un número más /menos?**
	tendree-a un noomero mas/menos?
Do you have different styles?	**¿Tiene otro modelo?**
	tee-ene otro modelo?
Do you have this style in other colours?	**¿Tiene este modelo en otro color?**
	tee-ene este modelo en otro kolor?
These fit	**Estos me están bien**
	estos me estan bee-en

What you hear

Buenas días / tardes ¿qué deseaba?	Good morning/afternoon, can I help you?
¿Qué número usa?	What size are you?
¿Qué color le gustaría?	What colour would you like?
¿Cómo los quiere?	What style would you like?
Pruébese estos	Try these on
¿Qué tal le quedan?	How are they?
Lo siento, no tenemos su número	I'm sorry, we haven't got them in your size
Son de piel / cuero	They are leather
Están forrados por dentro	They have a lining
Tienen suela de goma / cuero	They have rubber/leather soles
Luego ceden	They stretch

What you see

Caja	Till
Liquidación	Sale
Oportunidades	Bargains
Rebajas	Sale
Todo a 12 €	Everything 12 €
Zapatos de caballero	Men's shoes
Zapatos de señora	Women's shoes
Zapatos de niño	Children's shoes

4 Shopping

4.4 Things for your home

Furniture. There are four standard bed sizes in Spain: they are 80 cm, 90 cm, 1,35 cm and 1,50 cm, which refers to the width.

Words you might need

armchair	sillón	seeyon
bed	cama	kama
bed frame	somier	somee-er
bedside table	mesilla de noche	meseeya de noche
bunk bed	litera	litera
comode	cómoda	komoda
chair	silla	seeya
kitchen cupboard	armario de cocina	armaree-o de koseena
kitchen table	mesa de cocina	mesa de koseena
lamp	lámpara	lampara
mattress	colchón	kolchon
sofa	sofá	sofa
stool	taburete	taboorete
table	mesa	mesa
wardrobe	armario ropero	armaree-o ropero

What you say

I'd like to see a two door wardrobe	**Quisiera ver un armario de dos puertas para el dormitorio**
	kisee-era ver un armaree-o de dos pwertas para el dormitoree-o
I'd like a 1.35 m bed	**Quisiera un cama de 1,35**
	kisee-era un kama de 1,35
I'd like to see a 1.5 m bed frame and mattress	**Quiero que me enseñe un somier y un colchón de 1,50**
	kee-ero kay me ensenye un somee-er y un kolchon de 1,50
Can you show me some two and three seater sofas?	**¿Pueden enseñarme sofás de dos y tres plazas?**
	payden ensenyarme sofas de dos y tres plasas?

Electrical appliances. There are shops that specialise in electrical appliances, but you can also find them in hypermarkets and department stores.

Words you might need

dishwasher	**lavavajillas**	*lavavaheeyas*
dryer	**secadora**	*sekadora*
electric heater	**calefactor eléctrico**	*kalefaktor elektriko*
fan	**ventilador**	*ventilador*
freezer	**congelador**	*konhelador*
fridge	**frigorífico / nevera**	*frigorifiko / nevera*
gas/electric cooker	**cocina de gas / eléctrica**	*koseena de gas/elektrika*
heater	**calentador**	*kalentador*
hi-fi	**cadena de música**	*kadena de moosika*
hob	**vitrocerámica**	*vitroseramika*
microwave	**microondas**	*meekro-ondas*
mini-system	**minicadena**	*minikadena*
oven	**horno**	*orno*
television	**televisión**	*television*
washing machine	**lavadora**	*lavadora*

What you say

I'd like to see a three ring gas cooker with an oven	**Quisiera ver una cocina de gas de tres fuegos, con horno** *kisee-era ver una koseena de gas de tres fwaygos kon horno*
I'd like a two door fridge	**Quisiera un frigorífico de dos puertas** *kisee-era un frigorifiko de dos pwertas*
Can you show me some heaters?	**¿Pueden enseñarme estufas o aparatos de calefacción eléctrica?** *pwayden ensenyarme estoofas o aparatos de kalefacsion elektrika?*

Things for the home. There are shops that specialise in carpets, bed linen, cutlery and other things that you need for your home, although you can also buy them in the «*Hogar*» (Home) or «*Menaje*» (Hardware and Kitchen department) of department stores and hypermarkets.

Words you might need

blanket	manta	*manta*
carpet	alfombra	*alfombra*
cup	taza	*tasa*
curtain	cortina	*korteena*
dessert/teaspoon	cucharilla (de postre, de café)	*koochareeya (de postre, de kafé)*
doormat	felpudo	*felpoodo*
duvet	funda nórdica	*funda nordika*
eiderdown	edredón	*edredon*
fork	tenedor	*tenedor*
glass	copa	*kopa*
glass	vaso	*vaso*
knife	cuchillo	*koocheeyo*
plate/bowl	plato (llano, hondo, de postre)	*plato (yano, hondo, de postre)*
servillete	servilleta	*serveeyeta*
sheet (bottom, top, adjustable)	sábana (bajera, encimera, ajustable)	*sabana (bahera, enseemera, ahustable)*
shower curtain	cortina de baño	*korteena de banyo*
spoon	cuchara	*koochara*
tablecloth	mantel	*mantel*
towel	toalla	*to-aya*
tray	bandeja	*bandeha*

What you say

I'd like to see some blankets for a single bed, please	**Quisiera ver mantas para una cama de 90** *kisee-era ver mantas para una kama de 90*
I want some cotton sheets for a double bed, please	**Quiero sábanas de algodón para una cama de 1,35** *kee-ero sabanas de algodón para una kama de 1,35*
I'd like six glasses and three cups like these	**Quisiera seis vasos y tres tazas de estas** *kisee-era says vasos y tres tasas de estas*

Can I have a dozen knives, forks and spoons in this style, please?	¿Me pone doce tenedores, doce cuchillos y doce cucharas de este modelo?
	me pone dose tenedores, dose koocheeyos y dose koocharas de este modelo?
Could you show me some tablecloths for a small round table, please?	¿Pueden enseñarme manteles para una mesa redonda pequeña?
	pwayden ensenyarme manteles para una mesa redonda pekenya?

4.5 Cleaning and personal hygiene products

Cleaning products. You can buy cleaning products in specialised shops (*droguerías*), supermarkets and department stores.

Words you might need

air freshener	ambientador	*ambee-entador*
ammonia	amoníaco	*amonee-ako*
bin	cubo de basura	*koobo de basoora*
bin bags	bolsas de basura	*bolsas de basoora*
bleach	lejía	*lehee-a*
brush	cepillo	*sepeeyo*
brush, broom	escoba	*eskoba*
cleaning cloth	bayeta de cocina	*bayeta de koseena*
clothes brush	cepillo de ropa	*sepeeyo de ropa*
coat hangers	perchas	*perchas*
dishwasher	lavavajillas	*lavavaheeyas*
duster	gamuza para el polvo	*gamoosa para el polvo*
fabric conditioner	suavizante	*swavisante*
floor cleaner	friegasuelos	*free-egaswelos*
insecticide	insecticida	*insektiseeda*
mop	fregona	*fregona*
scourer	estropajo	*estropaho*
scraper	recogedor	*rekogedor*
serviette	servilletas de papel	*serveeyetas de papel*
shoe brush	cepillo para los zapatos	*sepeeyo para los sapatos*
shoe polish	betún / crema de zapatos	*betun/krema de sapatos*
soap	jabón	*habon*

4 Shopping

| toilet paper | **papel higiénico** | *papel ihee-eniko* |
| washing powder | **detergente** | *detergente* |

What you say

I'd like some washing powder/liquid/ tablets for my washing machine	**Quiero un detergente para la lavadora (en polvo / líquido / en pastillas)** *kee-ero un detergente para la lavadora (en polvo/likeedo/en pasteeyas)*
I need a scourer	**Quiero un estropajo** *kee-ero un estropaho*
Do you have any stain remover?	**¿Tiene un quitamanchas para la ropa?** *tee-ene un kitamanchas para la ropa?*

What you hear

Es muy fuerte	It is very strong
Es tóxico	It is poisonous
Éste es más barato	It is very cheap
Este producto es bueno	This is a very good product
Manténgalo fuera del alcance de los niños	Keep it out of the reach of children
Son de la misma calidad	They are the same quality

■ **Buying personal hygiene products.** You can buy this type of product in cosmetic's shops *(perfumerías)*, cleaning product shops *(droguerías)* and supermarkets and department stores. Some of these products are also available in chemist's shops, although they are usually more expensive there.

Words you might need

after shave	**colonia**	*kolonee-a*
comb	**peine**	*payne*
condom	**preservativo / condón**	*preservateevo/kondon*
cotton	**algodón**	*katton*
cotton buds	**bastoncillos**	*bastonseeyos*
dental floss	**hilo dental**	*eelo dental*
deodorant	**desodorante**	*desodorante*

disposable nappies	pañuelo(s) de papel	*panywelo(s) de papel*
gel	gel	*hel*
hair gel	gomina	*gomina*
hairbrush	cepillo del pelo	*sepeeyo del pelo*
mirror	espejo	*espeho*
moisturising cream	crema hidratante	*krema eedratante*
nail brush	cepillo de uñas	*sepeeyo de oonyas*
nail clippers	cortaúñas	*korta-oonyas*
nail file	lima	*leema*
nail scissors	tijeras de uñas	*tiheras de oonyas*
nail varnish	esmalte de uñas	*esmalte de oonyas*
nail varnish remover	quitaesmaltes	*kita-esmaltes*
nappies	pañal(es)	*panyal(es)*
razor blade	cuchilla de afeitar	*koocheeya de afaytar*
sanitary towel(s)	compresa(s)	*kompresa(s)*
shampoo	champú	*champoo*
shaving foam	espuma de afeitar	*espooma de afaytar*
shaving lotion	loción de afeitado	*losion de afaytar*
soap	jabón	*habon*
sponge	esponja	*esponha*
tampons	tampón / tampones	*tampoon/tampones*
toothbrush	cepillo de dientes	*sepeeyo de dee-entes*
toothpaste	pasta de dientes	*pasta de dee-entes*
tweezers	pinzas de depilar	*pinsas de depilar*
wash bag	neceser	*neseser*

What you say

Where can I buy sanitary towels/ tampons?	¿Dónde puedo encontrar compresas / tampones?
	donde pwaydo enkontrar kompresas/ tampones?
Do you have any toilet paper?	¿Hay papel higiénico?
	eye papel igee-eniko?
Do you have an anti-dandruff shampoo?	¿Tiene un champú anticaspa?
	tee-ene un champoo antikaspa?
I'd like a packet of condoms, please	Quería una caja de preservativos / condones
	keree-a una kaha de preservateevos/ kondones

My son has lice, do you have a lotion or shampoo to get rid of them?	**Mi hijo tiene piojos, ¿tendría una loción o un champú?**
	mi eeha tee-ene pee-ohos, tendree-a una losion o un champoo?
I'd like a soap for sensitive skin, please	**Querría un jabón para pieles sensibles**
	keree-a un habon para pee-eles senseebles
A bag of nappies, please	**Una bolsa de pañales, por favor**
	una bolsa de panyales, por favor

4.6 Other shops

■ **Tobacco shop *(estanco)*.** You can use tobacco shops *(estancos)* to buy tobacco and smoking products and also to refill lighters, but they are also the place where you buy stamps, envelopes, some stationery and, in some places, your travel pass.

Words you might need

black/blond/ pipe tobacco	**tabaco negro / rubio / de pipa**	*tabako negro/roobee-o/ de peepa*
cigar	**puro**	*pooro*
cigarettes	**cigarrillos**	*sigarreeyos*
envelope	**sobre**	*sobre*
lighter	**mechero**	*mechero*
matches	**cerillas**	*sereeyas*
packet	**cartón**	*karton*
packet	**paquete / cajetilla**	*pakete/kajeteeya*
pipe	**pipa**	*peepa*
stamp	**sello**	*seyo*

What you say

I need a stamp for India	**Necesito un sello para India**
	neseseeto un seyo para India
I need an envelope	**Necesito un sobre**
	neseseeto un sobre
Give me a packet of tobacco	**Deme un paquete de tabaco**
	deme un pakete de tabako

A lighter, please	**Un mechero, por favor**
	un mechero, por favor
A packet of cigarette paper, please	**Un librillo de papel de fumar, por favor**
	un libreeyo de papel de faomar, por favor
How much is it to refill this lighter?	**¿Cuánto cuesta recargar / rellenar el mechero?**
	kwanto kwesta rekargar/reyenar el mechero?

What you hear

¿De qué marca?	What type?
¿Rubio o negro?	White or black tobacco?
¿Para dónde es el sello, para España o para el extranjero?	Is the stamp for Spain or abroad?
¿Para dónde quiere el sello?	Where do you want a stamp for?

Services

The postal service *(Correos)* is owned and operated by the state. It is efficient and also quite cheap. Other types of communication (phone, fax and internet) are affordable in Spain, and there are many places where you can take advantage of all three at the same time.

If you want to eat out, you need to know that in Spain people eat lunch between 1.30pm and 3pm, and have dinner between 9pm and 11pm. It is always easy to find somewhere to eat as Spain is full of bars and restaurants. Bars are one of Spain's defining institutions. They are where people meet to chat, argue, eat and drink, and everybody —including the clients and the people who work there— talks to each other, usually in a relaxed, friendly way. In nearly every small town, and nearly every street of every city you can usually find a bar that is open from 7 or 8 in the morning until well into the night. ∎

Many restaurants and other places to eat have a set menu *(menú del día)*, which consists of a first course, a second course, a drink and dessert or coffee for a very reasonable price. There are usually three choices for each course, and the menu, which also tells you the prices, is usually on display near the door.

5.1 Communications: post, telegraph, telephone, fax, internet

■ **The post office (Correos y Telégrafos).** Everywhere in Spain, from the smallest town up, you will find a post office (Correos), which is easily identifiable by its yellow sign. The post office is usually open from 9 in the morning until 2.30 in the afternoon, from Monday to Saturday, although they often have shorter opening hours in the summer. Some of the bigger offices are also open in the afternoon. You can use the post office to send and receive money orders and send letters and packages.

Today there are also private companies that offer this type of service. They can be more personalised than the post office, and sometimes they even have someone who can speak to you in your own language.

Words you might need

collection	recogida	rekoheeda
delivery	envío	envee-o
delivery note	aviso de correos	aveeso de korre-os
envelope	sobre	sobre
form	impreso	impreso
giro	giro postal	heero postal
letter	carta	karta
other destinations	otros destinos	otros desteenos
packet	paquete	pakete
post card	(tarjeta) postal	(tarheta) postal
postbox	buzón	booson
postcode	código postal	kodigo postal
postman/woman	cartero	kartero
receive	recibir	resibeer
recipient	destinatario	destinataree-o
registered	certificado	sertifikado
send	enviar	envee-ar
sender	remitente	remitente
stamp	sello	seyo
telegram	telegrama	telegrama
urgent	urgente	urhente

What you say

Where is there a post office?	¿Dónde hay una oficina de correos?
	donde eye una ofiseena de korre-os?

I'd like to send this packet to Jamaica	**Quiero mandar este paquete a Jamaica**
	kee-ero mandar este pakete a hamayka
How much is it to send this card?	**¿Cuánto cuesta enviar esta carta?**
	kwanto kwesta envee-ar esta karta?
I need a large envelope/box	**Necesito un sobre grande / una caja**
	neseseeto un sobre grande/una kaha
I'd like to send this letter by registered mail	**Quiero mandar esta carta certificada**
	kee-ero mandar esta karta sertifikada
I need to send a giro	**Necesito hacer un giro**
	neseseeto aser un heero
I have come to collect a packet	**Vengo a recoger un paquete**
	vengo a rekoher un pakete
I'd like to send this letter by urgent mail	**Quisiera mandar esta carta urgente**
	kisee-era mandar esta karta urgente
I'd like to send this telegram	**Quiero mandar un telegrama**
	kee-ero mandar un telegrama
I have come to cash this giro	**Venía a cobrar un giro**
	venee-a a kobrar un heero
Where is the post box?	**¿Dónde está el buzón?**
	donde esta el buson?
Which counter is for registered mail?	**¿Dónde está la ventanilla para certificar?**
	donde esta la ventaneeya para sertifikar?

What you hear

¿La quiere certificada?	Do you want to send it by registered mail?
¿Me enseña el pasaporte?	Show me your passport
Rellene este impreso	Fill in this form
Ponga su dirección	Put your address here
Ponga su número de pasaporte / NIE	Put your passport/ID card number here
Ponga la fecha de hoy	Put today's date
Firme aquí	Sign here

What you see

| Buzón | Postbox |
| Certificados | Registered mail |

5 Services

Cobro de giro	Giros cashed
Envíos	Deliveries
Recogida	Collection
Telegramas	Telegrams

■ **Making phone calls.** In Spain there are public phone boxes which take coins or phone cards (which you can buy from tobacco shops and general grocery shops). In recent years many special shops for making phone calls (*locutorios*) have opened. These are private businesses and you can use them to make cheap phone calls, and to buy cards for making cheap international calls. Some also offer Internet access and fax facilities.

Words you might need

hang up/pick up	colgar / descolgar teléfono	kolgar/deskolgar telefono
answering machine	contestador	kontestador
to answer the phone	contestar al teléfono	kontestar al telefono
shop for making phone calls	locutorio	lokootorio
to call	llamar a / telefonear a	yamar a/telefone-ar a
message	mensaje	mensahe
international prefix	prefijos internacionales	preefihos internasionales
contract	contrato	kontrato
pre-paid card	tarjeta de prepago	tarheta de prepago
phone card	tarjeta de teléfono	tarheta de telefono
fixed line	teléfono fijo	telefono feeho
cordless phone	teléfono inalámbrico	telefono inalambriko
mobile/cell phone	teléfono móvil	telefono moveel

What you say

Where is the nearest phone box?	¿Dónde hay un teléfono público? *donde eye un telefono publika?*
Is there a shop for making phone calls near here?	¿Dónde hay un locutorio? *donde eye un lokutoree-o?*
Do you have to dial a prefix?	¿Qué prefijo hay que marcar? *kay preefiho eye kay markar?*
How much is it per minute?	¿Cuánto cuesta el minuto? *kwanto kwesta el minooto?*

Good morning/afternoon/evening, I'd like to speak to Mr/Ms Gomez	**Hola, quisiera hablar con el señor Gómez / la señora Gómez**
	Ola, kisee-era ablar kon el senyor Gomes/la senyora Gomes
Can I speak to Maria, please?	**¿Podría hablar con María?**
	podree-a ablar kon Maria?
This is Ms/Mr Smith	**Soy la señora Smith / el señor Smith**
	Soy la senyora/el senyor Smis
When will he/she be back?	**¿A qué hora volverá él / ella?**
	a kay ora volvera el/ella?
What time will he/she be there?	**¿A qué hora le puedo localizar?**
	a kay ora le pwaydo lokalisar?
Which number should I call him/her on?	**¿Dónde le puedo localizar?**
	donde le pwaydo lokalisar?
Can you ask him/her to call me on 91 314 16 24, please?	**¿Le puede decir que me llame al número 91 314 16 24?**
	le pwayde deseer kay me yame al noomero 91 314 16 24?
Can I leave him/her a message?	**¿Le puede dejar un mensaje?**
	le pwayde dehar un mensahe?
Tell him/her that Mr/Ms White called	**Dígale que el señor White / la señora White ha llamado**
	digale que el senyor/la senyora White ha yamado
Do you have a telephone directory?	**¿Podría dejarme una guía telefónica?**
	podree-a deharme una gee-a telefonika?

What you hear

¿Sí, dígame?	Hello
¿Con quién hablo?	Who is speaking?
¿De parte de quién?	What is your name?
No cuelgue, le paso	Don't hang up, I'll transfer the call
Espere un momento, por favor	Wait a moment, please
¿Puede esperar unos minutos?	Can you wait a couple of minutes?
Se ha equivocado de número	You've got the wrong number
Aquí no es	That is a wrong number
¿Puede volver a llamar dentro de 15 minutos?	Can you call back in 15 minutes?
No está disponible	He/she is not available at the moment

Está reunido	He/she is in a meeting
Ha salido	He/she has gone out
El número está fuera de servicio	The number is not working
Está comunicando	He/she is engaged

■ **Fax.** Many stationery, photocopying and IT shops, in addition to internet cafes and the special shops for making phone calls, offer fax facilities.

What you say

Do you have a fax machine?	¿Tienen fax?
	tee-enen fax?
Could I send a fax?	¿Podría enviar un fax?
	podree-a envee-ar un fax?
Can you tell me your fax number?	¿Me puede dar un número de fax?
	me pwayde dar un noomero de fax?
How much is it per page?	¿Cuánto cuesta cada hoja?
	kwanto kwesta kada oha?
Can I receive a fax here?	¿Puedo recibir un fax?
	pwaydo resibeer un fax?

■ **Internet.** Many telephone shops also have computers from which you can connect to the Internet. You can also go online in internet cafes, where they often have faster connections and lower prices. There are more and more internet cafes opening every day in the big cities of Spain, where you can work and communicate by computer and also by phone.

What you say

Do you have Internet access?	¿Tiene connexion a Internet?
	tee-ene konexion a internet?
Could you tell me where I can access the Internet?	¿Podría decirme dónde hay un locutorio con Internet / un cibercafé?
	podree-a deseerme donde eye un lokutore-o kon internet/un seeberkafe?
What are your prices for Internet access?	¿Cuáles son las tarifas de Internet?
	kwales son las tareefas de internet?
I'd like to check my email	Quisiera mandar un correo electrónico
	kisee-era mandar un korreo elektroniko

| What is your email address? | ¿Cuál es su dirección de correo electrónico?
kwal es su direcsion de korre-o elektroniko? |
| I'll send you it as an attachment in an email | Le enviaré el documento por correo electrónico
le enviare el documento por corre-o electronico |
| Do you have Office/Word/Excel software? | ¿Tiene Office / Word / Excel?
tee-ene ofis/word/excel? |

5.2 Banks and other financial institutions

Banks and savings banks. Banks and savings banks are open from 8.30 or 9 in the morning to around 1.30 or 2 in the afternoon from Monday to Friday. Some banks are also open one afternoon during the week and on Saturday mornings. However, in summer the opening hours change and they are not open to the public in the afternoon or on Saturdays and may also close earlier during the week.

It is a good idea to open a current account *(cuenta corriente)* with one of the major banks so that you can do a range of transactions (paying in your salary, cashing cheques, getting bank guarantees for rental agreements, etc). When you open an account the bank gives you an electronic card that you can use to take money out of cash machines and to buy things in shops. Opening a bank account is free if you have a resident's card. If you don't have a resident's card you can still open an account but you will have to pay a small amount every month. It is cheaper to change money, cash cheques, make transfers etc from the bank where we have our account than from a shop that specialises in these services. **!**

Bank books *(libretas de ahorro)* are similar to current accounts. All your transactions are recorded in the book that the bank gives you, which is commonly called a «saving's card». Until very recently, the main differences between a current or deposit account and a bank book was that you couldn't use cheques with the bank book, nor did you have access to some ser-

> **!** All the banks charge you for anything you do with your money —changing money, making transfers, giros, paying in cheques, etc. (except paying in and withdrawing money from our own account). However, it is always cheaper to do any of these operations at the bank where we have our current account, not in other banks or branches.

vices or could you go overdrawn. However, today there is little difference between the two systems.

Some banks can also organise money transfers to banks in your home country.

Words you might need

bank charges	comisión	komision
bureau de change	oficina de cambio	ofiseena de kambee-o
cash	efectivo	efekteevo
cash machine/ATM	cajero automático	kahero owtomatiko
credit card	tarjeta de crédito	tarheta de kredito
current account	cuenta corriente	kwenta korree-ente
cheque	cheque	cheke
desk	mostrador	mostrador
form	impreso	impreso
international giro	giro internacional	heero internasional
note	billete	biyete
overdrawn	descubierto	deskubee-erto
payment	abono	abono
savings account	cuenta de ahorro	kwenta de a-orro
till	caja	kaha
to close (an account)	cancelar (una cuenta)	kanselar (una kwenta)
to open (an account)	abrir (una cuenta)	abreer (una kwenta)
to pay in	ingresar	ingresar
transfer	transferencia	transferensee-a
window	ventanilla	ventaneeya
withdraw	sacar	sakar

What you say

I'd like to open a current account/ bank book	**Quiero abrir una cuenta corriente / libreta de ahorros**
	kee-ero abreer una kwenta corree-ente/libreta de a-orros
I need a card for the cash machine	**Necesito una tarjeta para el cajero**
	neseseeto una tarheta para el cahero
Can I cash this cheque?	**¿Puedo cobrar este cheque?**
	pwaydo cobrar este cheke?
I need to write a cheque for 2000 €	**Necesito hacer un cheque de 2000 €**
	neseseeto aser un cheke de 2000 €

Can I do a transfer from here?	¿Podría hacer una transferencia?
	podree-a aser una transferensee-a?
Can you give me it in 10 € notes?	¿Me puede dar billetes de 10 €?
	me pwayde dar biyetes de 10 €?
Can you change this note into coins?	¿Me puede cambiar este billete en monedas?
	me pwayde cambee-ar este biyete en monedas?
I'd like to close my account	Quisiera cancelar mi cuenta
	kisee-era cancelar mi kwenta
I'd like to pay this into my account	Vengo a hacer un ingreso
	vengo a aser un ingreso
I'd like to withdraw some money from my account	Quiero sacar dinero de mi cuenta
	kee-ero sacar dinero de mi kwenta
What are the bank charges for a transfer to another bank?	¿Cuál es la comisión por una transferencia a otro banco?
	kwal es la comision por una transferensee-a a otro banco?

What you hear

¿Qué desea?	What would you like?
Rellene este formulario	Fill in this form
¿Cuál es su número de cuenta, por favor?	What is your account number, please?
Firme aquí	Sign here
Su pasaporte / NIE, por favor	Your passport/identity card number, please
¿Quiere billetes pequeños / grandes?	I'd like small/large notes
No tiene saldo	Your account is empty
La comisión es de 2 €	The bank charges are 2 €

5.3 Bars and restaurants

Eating out. It is very likely that you will have to eat out a lot when you first arrive in Spain, or when you can't take food to work or go home at lunchtime.

• **Restaurants** are divided into different categories, which are usually symbolised by a number of forks (from 1 to 4), with the most expensive and exclusive having 4 forks. Restaurants usually display their menu near the door so that customers can see what is on offer and the prices.

5 Services

Many restaurants offer a set menu at lunchtime («menú del día»). This gives you a choice of dishes, with three or four first and second courses to choose from. The price includes bread, a drink and dessert, and the prices are usually reasonable (between 6 and 12 €). Coffee is not normally included in the price, although most restaurants will let you have coffee instead of dessert. There is sometimes a cheaper option to eat at the bar, and a more expensive option of eating on the terrace if the restaurant has one. The prices and the dishes on offer should be clearly indicated on the menu near the door.

• **Bars** There are bars everywhere in Spain. There is nearly always a bar open somewhere, where you can get a drink and something light to eat. Bars serve drinks, coffee, food like sandwiches and *tapas* (small snacks), *raciones* (larger portions) or, in some places, combined dishes *(platos combinados)*, where you get a variety of things on the same plate.

Tapas are small snack that you have with a drink, and they are often free when you buy a drink! They are an important part of Spain's food culture, and can include anything from a piece of bread and cheese to an elaborate pepper stuffed with seafood. All the regions of Spain have their own specialities, and it is common for people to have a whole meal of tapas if they don't have much time or they have gone out with a group of friends to eat and chat (which they usually do standing at the bar). There are also many types of *raciones* (larger portions), including such things as fish stews, spicy potatoes, tortilla and cured meats. These are larger portions that the tapas, and they are never free! The combined dishes (platos combinados) than are served in many bars and cafes, combine many different elements (particularly fried ones!), all served together on one plate. There are usually several different possibilities on offer. They are very quick to prepare and often very cheap.

We will now show you some of the most common dishes that you will find on Spanish menus.

What you see

Menú	Set menu
Primeros platos	*First courses*
Caldo	Broth
Callos	Tripe
Consomé	Consome
Entremeses	Mixed starters

«A la carte» and «fixed menus». We can always choose between eating «a la carta» (a la carte) or «de menú» (from the set menu); the latter is always much cheaper.

Ensalada mixta	Mixed salad
Espagueti(s) con tomate	Spaghetti in tomato sauce
Fabada	Bean stew
Lentejas estofadas	Stewed lentils
Gazpacho	Gazpacho (tomato soup)
Macarrones con chorizo	Macaroni with chorizo (spicy sausage)
Menestra de verduras	Warm vegetable salad
Paella	Paella
Potaje	Soup with boiled chick peas and spinachs
Revuelto (de setas / de gambas)	Scrambled eggs (with wild mushrooms/prawns)
Sopa	Soup
Segundos platos	*Second courses*
Calamares	Squid
Cocido	Stew
Chipirones en su tinta	Squid in ink
Croquetas	Croquettes
Empanadillas	Small pies
Filete de lomo	Loin fillet
Filete de ternera	Beef fillet
Guarnición: patatas fritas o ensalada	Side dishes: chips or salad
Merluza / pescadilla frita	Fried hake/whiting
Pescaditos fritos	Fried small fish
Pollo asado	Roast chicken
Tortilla española / de patatas	Potato omelette
Tortilla francesa	French omelette
Postres	*Desserts*
Arroz con leche	Rice pudding
Flan	Crème caramel
Fruta	Fruit
Helado	Ice cream
Natillas	Custard
Pudin / Pudín	Pudding
Yogur	Yoghurt
Bebidas	*Drinks*
Agua	Water
Café	Coffee
(Café) Con leche	White coffee
(Café) Cortado	Coffee with a small amount of milk
(Café) Descafeinado	Decaffeinated coffee
(Café) Solo	Black coffee (very strong)

Cerveza	Beer
Coca-cola	Coca-Cola
Gaseosa	Sweet, carbonated water
Infusiones	Herbal teas
Refresco de naranja / de limón	Orange/lemon flavoured soft drinks
Té	Tea
Vino tinto	Red wine
Vino blanco	White wine
Vino de la casa	House wine

What you say

Where can you eat cheaply?	**¿Dónde se puede comer barato?** *donde se pwayde komer barato?*
Where is there a restaurant with a set menu?	**¿Dónde hay un restaurante de menú?** *donde eye un restorante de menoo?*
There are 4 of us	**Somos 4 para comer** *somos 4 para komer*
Where should we sit?	**¿Dónde nos podemos sentar?** *donde nos podemos sentar?*
What time do you open/close?	**¿A qué hora abren / cierran?** *a kay ora abren/see-eran?*
Can you give us the menu, please?	**¿Nos puede dar el menú del día, por favor?** *nos pwayde dar el menu del dee-a, por favor?*
We haven't decided yet	**Todavía no hemos elegido** *todavee-a no emos elehido*
Can you take our order, please?	**¿Puede tomar nota?** *pwayde tomar nota?*
Bring me a jug of water, please	**Tráigame una jarra de agua, por favor** *traigame una harra de agwa, por favor*
I'd like soup for the first course	**De primero, quiero una sopa** *de preemero, kee-ero una sopa*
For the second course, I'd like meat/fish with salad/chips	**De segundo, quiero carne / pescado con ensalada / patatas fritas** *de segundo, kee-ero karne/peskado kon ensalada/patatas fritas*
I'd like fruit/ice cream/custard for dessert	**De postre, fruta natural / helado / natillas** *de postre, froota natural/elado/nateeyas*

I'd like water/a soft drink	**Para beber, quiero agua / un refresco**
	para beber, kee-ero agwa/un refresko
I won't have a dessert. I'll have a coffee/herbal tea instead	**No tomaré postre. Tomaré café / una infusión**
	no tomare postre. Tomare kafé/una infusion
Yes, please give me a little more	**Sí, póngame / sírvame un poco más, por favor**
	Si, pongame/sirvamve un poko mas, por favor
No more, thank you	**No me eche más, por favor**
	no me eche mas, por favor
Can I have the same again, please?	**¿Puedo repetir?**
	pwedo repeteer?
Excuse me, where are the toilets?	**¿Los servicios, por favor?**
	los servisee-os, por favor?
Is this seat free/taken?	**¿Está ocupada / libre esta silla?**
	esta okupada/leebre esta seeya?
How much is that?	**¿Cuánto le debo?**
	kwanto le debo?
The bill, please	**La cuenta por favor**
	la kwenta por favor
Everyone pays for what they had	**Cada uno paga lo suyo**
	kada uno paga lo suyo
Can you give me a (n official) bill, please	**¿Me puede dar un recibo/factura, por favor?**
	me pwayde dar un reseebo/faktura, por favor?

What you hear

¿Van a comer?	Would you like to eat?
¿Cuántos son?	How many of you are there?
Siéntense aquí / ahí / allí	Please sit here/there
Tiene que esperar al menos media hora	You will have to wait at least half an hour
No, no puede ser, la cocina cierra	I'm afraid the kitchen is closing
¿Qué van a tomar?	What would you like?
¿Puedo tomar nota?	Are you ready to order?
¿Quieren el menú del día?	Would you like the set menu?
¿Han elegido ya?	Have you decided yet?
¿Le importaría esperar en la barra?	Would you mind waiting in the bar?
¿Fumador o no fumador?	Smoking or non-smoking?

5 Services

¿Para beber?	What would you like to drink?
De primero / de segundo / postre?	For your first course/second course/dessert?
¿Para beber?	What would you like to drink?
¿Falta algo?	Do you need anything else?
¿Van a tomar cafés?	Would you like coffee?
¿Quieren algo más?	Would you like anything else?
¿Han terminado?	Have you finished?
¿Les traigo la cuenta?	Shall I bring the bill?

▓ **What is this dish like?** Spanish food is very tasty, although it is not usually spicy or hot when compared to the food of many other countries. Pork is a traditional ingredient in many dishes such as soups, stews and even vegetables. Dishes from the north of the country where it is cooler tend to be heavier, especially in winter. All the regions of Spain have their local specialities, although these are usually found on the a la carte menu, whilst the choices for the set menu are similar in most of Spain.

Words you might need

bad	**malo**	*malo*
bland/without salt	**soso / sin sal**	*soso/sin sal*
cold	**frío**	*free-o*
fresh	**fresco**	*fresko*
good	**bueno**	*bweno*
hard	**duro**	*dooro*
heavy	**pesado**	*pesado*
hot	**caliente**	*kalee-ente*
light	**ligero**	*lihero*
light flavour	**sabor suave**	*sabor swave*
savoury	**salado**	*salado*
soft	**blando**	*blando*
spicy	**picante**	*pikante*
strong flavour	**sabor fuerte**	*sabor fwerte*
sweet	**dulce**	*dulse*
tasty	**sabroso**	*sabroso*
tender	**tierno**	*tee-erno*
warm	**tibio / templado**	*tibee-o/templado*
Preparation		
baked	**al horno**	*al orno*
boiled	**cocido / hervido**	*koseedo/erveedo*

illed	relleno	*reyeno*
ried	frito	*frito*
n breadcrumbs	empanado	*empanado*
medium	en su punto	*en su punto*
on the hot plate/grill	a la plancha / parrilla	*a la plancha/parreeya*
are	poco hecho	*poko echo*
aw	crudo	*kroodo*
roast	asado	*asado*
smoked	ahumado	*a-umado*
steamed	al vapor	*al vapor*
stewed	estofado / guisado	*estofado / geesado*
well done	bien hecho	*bee-en echo*

Condiments, spices and sauces

cinnamon	canela	*kanela*
garlic	ajo	*aho*
garlic mayonaisse	alioli	*ali-oli*
aurel	laurel	*laurel*
mayonaisse	mayonesa	*mayonesa*
oil	aceite	*asayte*
onion	cebolla	*seboya*
parsley	perejil	*perehil*
pepper	pimienta	*pimee-enta*
rosemary	romero	*romero*
salt	sal	*sal*
smoked red pepper	pimentón	*pimenton*
spicy pepper	guindilla	*gindeeya*
tomato sauce	salsa de tomate	*salsa de tomate*
vinaigrette	vinagreta	*vinagreta*
vinegar	vinagre	*vinagre*

What you say

What does this dish have in it?	¿Qué lleva este plato?
	kay yeva este plato?
Does it have garlic in it?	¿Tiene ajo?
	tee-ene aho?
Is it very spicy?	¿Tiene mucho picante?
	tee-ene mucho picante?
Is it hot or cold?	¿Es un plato caliente o frío?
	es un plato caliente o free-o?

5 Services

I'd like the meat rare/medium/well done	**La carne la quiero poco hecha / muy hecha / en su punto**
	la carner la kee-ero poco echa/mwee echa/en su punta
I'm on a diet	**Estoy a régimen / a dieta**
	estoy a regimen/a dee-eta
I'm on a salt free diet	**Hago un régimen sin sal**
	ago un rehimen sin sal
I'm allergic to spicy food	**Soy alérgico al picante**
	soy alerhico al picante
I can't eat pork/eggs	**No puedo comer cerdo / huevo**
	no pwaydo comer cerdo/wevo
I can't drink milk/alcohol	**No puedo beber leche / alcohol**
	no pwaydo beber leche/alco-ol
Does it contain pork?	**¿Lleva cerdo?**
	yeva serdo?
Is it big or small?	**¿Es mucha / poca cantidad?**
	es mucha/poca cantidad?

■ **Problems and complaints.** Most bars and restaurants are happy to change things if there is a problem. Should you need it, every place has a complaints book where you can register your complaint.

What you say

I asked for paella, not macaroni	**Le había pedido paella y no macarrones**
	le abee-a pedeedo pa-eya y no makarrones
I've dropped my fork/spoon/knife/serviette. Can you bring me another?	**Se me ha caído el tenedor / el cuchillo / la cuchara / la servilleta, ¿me lo / la puede cambiar?**
	se me ha ka-eedo el tenedor/el kucheeyo/la kuchara/la serveeyeta, me lo / la pwayde kambee-ar?
I'd like a glass/plate, please	**Quisiera un vaso / un plato, por favor**
	Kisee-era un vaso/un plato, por favor
Can you bring some more bread/water, please?	**¿Puede traer más pan / agua, por favor?**
	pwayde tra-er mas pan/agwa, por favor?
Excuse me, can you bring some salt/oil/vinegar/pepper, please?	**Por favor, ¿me trae sal / aceite / vinagre / pimienta?**
	por favor, me tra-e sal/asayte/vinagre/pimienta?

It is very salty	**Está muy salado**
	Esta mwee salado
Excuse me, this soup is cold	**Perdone, la sopa está fría**
	perdone, la sopa esta free-a
I'm sorry. This fish isn't fresh	**Lo siento, este pescado no está fresco**
	lo see-ento, este peskado no esta fresko
This meat is too well done	**Esta carne está pasada**
	esta karne esta pasada
Excuse me, this yoghurt is past its use by date	**Perdone, este yogur está caducado**
	perdone, este yogur esta kadookado
This meat is rare; I wanted it medium	**Mi carne está poco hecha, la quería más hecha**
	mi karne esta poko echa, la keree-a mas echa
The bill is wrong/There is an error in the bill	**La cuenta está mal / Hay un error en la cuenta**
	la kwenta esta mal/eye un error en la kwenta
You have charged us too much	**Nos han cobrado de más**
	nos an kobrado de mas
We did not ask for this	**Esto no lo hemos pedido**
	esto no lo emos pedido
Do you have a complaints form/book?	**¿Tiene un libro / una hoja de reclamaciones?**
	tee-ene un leebro/una oha de reclamasiones
I'd like to speak to the manager	**Quisiera hablar con el encargado/a**
	kisee-ra ablar kon el enkargado/a

What you hear

¿Está todo bien?	Is everything alright?
Lo siento, se ha equivocado	I'm sorry, there is a mistake
Le faltan 2 euros	2 euros more, please
Ahora le traigo la vuelta / el cambio	I'll bring the change
¿Quieren pagar en todo junto o por separado?	Do you want to pay together or separately?
Disculpen, es un error nuestro	I'm sorry, it was our mistake

5 Services

What you see

Hoja de reclamaciones	Complaints form
Nombre	Name
Apellidos	Surname
Dirección	Address
Motivo	Problem
Queja	Complaint
Fecha	Date

5.4 The hairdresser

In the hairdresser's

Words you might need

anti-dandruff shampoo	champú anticaspa	champoo antikaspa
conditioner	suavizante	swavisante
cut	cortar	kortar
dryer	secador	sekador
dye	tinte	tinte
fringe	flequillo	flekeeyo
highlights	mechas	mechas
lacquer	laca	laka
nail varnish	esmalte de uñas	esmalte de oonyas
permanent	permanente	permanente
rollers	rulos	roolos
setting lotion	fijador	fihador
shampoo	champú	champoo
shave	afeitar	afaytar
straighten	alisar	aleesar
to comb	peinar	paynar
to curl	rizar	risar
to dye	teñir	tenyeer
to remove hair	depilar	depilar
wash	lavar	lavar

What you say

How much is a hair cut?	¿Cuánto cuesta el corte de pelo?
	kwanto kwesta el korte de pelo?

I like a hair cut, please	**Querría cortarme el pelo**
	keree-a kortarme el pelo
Just want a wash and a trim	**Sólo quiero lavar y cortar**
	solo kee-ero lavar y kartar
How long will I have to wait?	**¿Cuánto tengo que esperar?**
	kwanto tengo kay esperar?
Just take a bit off the ends	**Córteme sólo las puntas**
	korteme solo las puntas
Don't cut it too short, please	**No me lo corte demasiado, por favor**
	no me lo korte demasee-ado, por favor
Take a little more off here, please	**Por aquí cortémelo más**
	por akee kortemelo mas
Can you dry it for me?	**¿Me lo puede secar con el secador?**
	me lo pwayde sekar kon el sekador?
I like to dye my hair	**Quería teñirme el pelo**
	keree-a tenyeerme el pelo
I like to have some highlights	**Quería hacerme unas mechas**
	keree-a haserme unas mechas
I like to have the hair from my lower/whole] legs/armpits removed	**Quería depilarme las piernas (medias, completas) / las axilas**
	keree-a depilarme las pee-ernas (medee-as, kompletas)/las axilas
Can you shave my beard?	**¿Me puede afeitar la barba?**
	me pwayde afaytar la barba?
How much is that?	**¿Cuánto le debo?**
	kwanto le debo?

What you hear

Quiere que le corte más?	Would you like it shorter?
Lavar y cortar o sólo lavar?	Shampoo and cut or just shampoo?
Lavar y peinar?	Shampoo and style?
Qué color quiere?	What colour would you like?
Quiere la cera caliente o fría?	Would you like hot or cold wax?

Emergencies and health 6

In Spain you only need to know one number —112— in order to call an ambulance, the police or the fire brigade. You should remember it, it could be very useful!

You need to know that Spain recognises the right of everybody who lives in the country, irrespective of their nationality or legal situation, to free health care. The Social Security *(Seguridad Social)* will give you a health care card *(tarjeta sanitaria)* and will assign you to a family doctor in the doctors' office nearest to your registered home.

To get a health care card, even if you do not have official permission to live here, you need to go to a health centre with your passport and your registry certificate (certificado de empadronamiento). ▪

! You need to remember that it is essential to make an appointment to see the doctor at a definite time. If it is an emergency you can go straight to the hospital without an appointment.

6 Emergencies and health

6.1 Requesting help

■ **Emergency calls.** The emergency telephone number for the whole of Spain is 112. This number is free. The emergency services are normally very efficient and arrive quickly if there is a problem.

Words you might need

accident	**accidente**	*acsidente*
drowned	**ahogado**	*a-ogado*
ambulance	**ambulancia**	*ambulansee-a*
lift	**ascensor**	*assensor*
fireman/men	**bombero(s)**	*bombero(s)*
faint	**desmayo**	*desmayo*
detain	**detener**	*detener*
extinguisher	**extintor**	*extintor*
form	**formulario / impreso**	*formularee-o/impres*
injured	**herido**	*ereedo*
fire	**incendio**	*insendee-o*
thief	**ladrón**	*ladron*
doctor	**médico**	*medika*
dead	**muerto**	*mwerto*
danger	**peligro**	*peligro*
police	**policía**	*polisee-a*
fast	**rápido**	*rapido*
help	**socorro**	*sokorro*
phone	**teléfono**	*telefono*
witness	**testigo**	*testeego*
emergency	**urgencia**	*urgensee-a*

What you hear

Help!	**¡Socorro!**
	sokorro!
Help!	**¡Auxilio!**
	auxilee-o!
Help!	**¡Ayuda!**
	ayuda!
It is an emergency!	**¡Es una emergencia!**
	es una emerhensee-a!

Call a doctor	**Llame a un médico**
	yame a un mediko
Call an ambulance	**Llame a una ambulancia**
	yame a una ambulansee-a
Call the police	**Llame a la policía**
	yame a la polisee-a
Call the fire brigade	**Llame a los bomberos**
	yame a los bomberos
Someone is injured/dead	**Hay un herido / muerto**
	eye un ereedo/mwerto
Stop thief!	**¡Al ladrón, al ladrón!, deténganlo**
	al ladron, al ladron! detenganlo
They have robbed/hit/injured me	**Me han robado / golpeado / herido**
	me an robado/golpeado/ereedo
There has been an accident	**Ha habido un accidente**
	a abeedo un acsidente
There is a fire	**Hay un incendio / Hay fuego**
	eye un insendee-o/eye fwaygo
We need a fire extinguisher	**Necesitamos un extintor**
	nesesitamos un extintor
Where is the emergency exit?	**¿Dónde está la salida de emergencia?**
	donde esta la saleeda de emerhensee-a
He/she doesn't know how to swim	**No sabe nadar**
	no sabe nadar
He/she is drowning	**Se está ahogando**
	se esta a-ogando
I need a doctor	**Necesito un médico**
	neseseeto un mediko
I am / he/she is ill	**Estoy / está enfermo,-a**
	estoy/esta enformo,-a
I have / he/she has fainted	**Me he / se ha desmayado**
	me e/se a desmayado
He/she is having a heart attack	**Tiene un ataque al corazón**
	tee-ene un atake al korason
Excuse me, where is the nearest hospital?	**Por favor, ¿dónde está el hospital más cercano?**
	por favor, donde esta el ospital mas serkano?
I'm lost, can you help me?	**Me he perdido, ¿pueden ayudarme?**
	me e perdeedo, pwayden ayudarme?
I'm stuck in the lift	**Me he quedado encerrado en el ascensor**
	me e quedado enserrado en el assensor

What you hear

Tranquilícese	Calm down
El extintor está en el pasillo	The fire extinguisher is in the corridor
Soy médico / enfermero,-a	I'm a doctor/nurse
Soy policía	I'm a police officer
La ambulancia viene ahora	The ambulance is coming
Hemos llamado a un médico	We have called a doctor
Hemos llamado a los bomberos	We have called the fire brigade
Hemos llamado a la policía	We have called the police
No cojan los ascensores	Don't take the lift
¿Hay algún herido / muerto?	Is anyone hurt/dead?
No le quite el casco	Don't take off the helmet
No lo mueva	Don't move

■ **The police.** There are several different police forces in Spain. If you are robbed or attacked you should go to the local police *(policía local)*; if it is something more serious then you should go to the national police *(Policía Nacional)* or the Civil Guard *(Guardia Civil)*. If you call 112 or go to a police station, they will inform you of the type of police that you should go to.

Words you might need

lawyer	**abogado**	*abogado*
aggression	**agresión**	*agresion*
stabbing	**apuñalamiento**	*apunyalamee-ento*
murder	**asesinato**	*asesinato*
police station	**comisaría**	*komisaree-a*
personal details	**datos personales**	*datos personales*
report	**denuncia**	*denunsee-a*
papers	**documentación**	*dokumentasion*
interpreter	**intérprete**	*interprete*
thief	**ladrón**	*ladron*
beating	**paliza**	*paleesa*
passport	**pasaporte**	*pasaporte*
fight	**pelea**	*pele-a*
police	**policía**	*polisee-a*
robbery	**robo**	*robo*
witness	**testigo**	*testeego*
rape	**violación**	*vee-olasion*

What you say

Where is the nearest police station?	**¿Dónde hay una comisaría?** *donde eye una komisaree-a?*
I've come to report a robbery	**Vengo a denunciar un robo** *vengo a denunsee-ar un robo*
I have been robbed/attacked/hit/hurt	**Me han robado / atacado / golpeado / herido** *me an robado/atakado/golpe-ado/ereedo*
They didn't let me into a bar	**No me han dejado entrar en un bar** *no me an dehado entrar en un bar*
My son has disappeared	**Mi hijo se ha perdido** *mi eeho se a perdeedo*
I've been raped	**He sufrido una violación** *ay sufreedo una vee-olasion*
How do I fill in the report?	**¿Cómo debo rellenar la denuncia?** *komo debo reyenar la denunsee-a*
Can I consult a lawyer?	**¿Puedo consultar a un abogado?** *pwaydo konsultar a un abogado*
I need an interpreter	**Necesito un intérprete** *neseseeto un interprete*
I've lost my ID card/passport	**He perdido el NIE / pasaporte** *ay perdeedo el NIE/pasaporte*
Can you tell me the address of my consulate?	**¿Me puede dar la dirección de mi consulado?** *me pwayde dar la direcsion de mi konsulado?*

What you hear

¿Qué le pasa?	What happened?
¿Dónde ocurrió?	Where did it happen?
¿Cuándo ocurrió?	When did it happen?
¿Hubo testigos?	Were there any witnesses?
¿Vio al ladrón?	Did you see the thief?
¿Qué le han robado?	What did they take?
¿Cuál es su dirección?	What is your address?
¿Puede rellenar y firmar este impreso?	Please complete and sign this form
Es difícil recuperar los objetos	It will be difficult to get the objects back

6 Emergencies and health

Vamos a buscarle un intérprete	We are going to look for an interpreter for you
Vamos a investigar	We are going to investigate

6.2 Health care

■ **Getting an appointment.** Except in medical emergencies, you have to organise an appointment with a doctor at a specific time. The Social Security will allocate you to a general doctor, and this doctor will refer you to a specialist if it is necessary (you also have to arrange an appointment with the specialist). Some specialities, such as gynaecologists and eye doctors have long waiting lists, and you shouldn't be surprised if they cannot see you for 3 or 4 months. ■

What you say

I have come to get a health care card	**Vengo a hacerme la tarjeta sanitaria** *vengo a aserme la tarheta sanitaree-a*
When can I consult the doctor?	**¿Cuándo tiene consulta el médico?** *kwando tee-ene konsulta el mediko?*
I'd like to make an appointment with doctor Martin	**Quería pedir hora con la doctora Martín** *keree-a pedeer ora kon la doktora Martin*
I have an appointment with doctor Gomez at 5 o'clock	**Tengo hora con el doctor Gómez a las 5** *tengo ora kon el doktor Gomes a las 5*
I have an appointment for Wednesday at 10 o'clock. Can I change it to another day?	**Me dieron hora para el miércoles a las 10. ¿Me lo pueden cambiar para otro día?** *me dee-eron ora para el mee-erkoles a las 10. Me lo pwayden kambee-ar para otro dee-a?*
I don't have an appointment, but I need to see a doctor - it is an emergency	**No tengo cita, pero necesito que me atiendan de urgencias** *no tengo seeta, pero neseseeto kay me atee-endan de urgensee-as*

Social mediator. If you have a health problem or need to do some official paperwork, you can request the help of a «social mediator», through the social services department of the local council or some NGOs (non-governmental organisations). The social mediator will help you with your Spanish and in particular with health problems and any official business. Their job is to help you adapt to Spanish society.

In the doctor's surgery. General doctors (médicos de cabecera or de familia) are responsible for primary health care, that is where there are no severe complications, and monitoring the general progress of their patients. You visit them in a health centre (ambulatorios or centro de salud) and you need an appointment for this. If the problem you are suffering from needs a specialist (especialista — optician, dentist, gynaecologist, etc) they will give you a ticket that allows you to organise an appointment (some specialists have long waiting lists, unless the ticket states that the appointment is urgent).

Your general doctor is responsible for writing prescriptions for medicine (which give you a discount) and for doctor's notes saying that you are not fit to work or have recovered (partes de baja y de alta). The doctor will write a doctor's note (parte de baja) when you are ill or have had an accident at work. It tells your company that you will not be coming to work during a definite period. It is essential that you take this to your company. These doctor's notes can be reissued every 4 or 5 days (by your general doctor) and you need to give them to the company you work for immediately. While you are not working and have a doctor's note, you will be paid, partly by the Social Security and partly by the company. The general doctor is responsible for saying when you are ready to go back to work, and for writing another doctor's note (parte de alta) that must be given to the company saying that you are able to work.

You will find a special section related to women's health in the **Integrating into society,** Women's issues (pages. 186-187).

Words you might need

Medical services

ambulance	**ambulancia**	*ambulansee-a*
nurse	**auxiliar de enfermería**	*auxilee-ar de enfermeree-a*
stretcher	**camilla**	*kameeya*
health centre	**centro de salud**	*sentro de salud*
mental health centre	**centro de salud mental**	*sentro de salud mental*
dental clinic	**clínica dental**	*clinika dental*

!

Treatment and medication. After examining you and listening to your problems, the doctor will give you a course of treatment to follow or recommend you to a specialist. If you are prescribed medicine, the doctor will tell you how much you should take and when, and will give you a prescription (receta) for each of the medicines. The prescription also means that the chemist will charge you less! Even so, there are some medicines that do not have a discount, even with a prescription, and you will have to pay the full price for these.

surgery	**consulta**	*konsulta*
blood donor	**donante de sangre**	*donante de sangre*
nurse	**enfermera,-o**	*enfermera*
chemist's	**farmacia**	*farmasee-a*
duty chemist's	**farmacia de guardia**	*farmasee-a de gwardee-a*
information	**información**	*informasion*
operation	**intervención quirúrgica**	*intervension kirurhika*
doctor	**médico**	*mediko*
operation	**operación**	*operasion*
trainee doctor	**practicante**	*praktikante*
doctor's note (at beginning of period)	**parte de baja**	*parte de baha*
doctor's note (at end of period)	**parte de alta**	*parte de alta*
first aid	**primeros auxilios**	*preemeros auxilee-os*
operating theatre	**quirófano**	*kirofano*
x-rays	**radiografía**	*radee-ografee-a*
reception	**recepción**	*resepsion*
rehabilitation	**rehabilitación**	*re-abilitasion*
waiting room	**sala de espera**	*sala de espera*
wheelchair	**silla de ruedas**	*seeya de rwedas*
social worker	**trabajadora social**	*trabahadora sosial*
emergencies	**urgencias**	*urhensee-as*

Medical specialists

anaesthetist	**anestesista**	*anestesista*
cardiologist	**cardiólogo**	*kardee-ologo*
surgeon	**cirujano**	*siruhano*
dentist / cosmetic dentist / dentist	**dentista / odontólogo / estomatólogo**	*dentista/odontologo/estomatologo*
dermatologist	**dermatólogo**	*dermatologo*
physiotherapist	**fisioterapeuta**	*fisee-oterape-uta*
gynaecologist	**ginecólogo**	*hinekologo*
trainee doctor	**internista**	*internista*
general doctor	**médico de cabecera / general**	*mediko de kabesera/heneral*
neurologist	**neurólogo**	*ne-urologo*
optician	**oftalmólogo / oculista**	*oftalmologo/okulista*
ear, nose and throat specialist	**otorrinolaringólogo**	*otorrinolaringologo*
paediatrician	**pediatra**	*pedee-atra*
chiropodist	**podólogo**	*podologo*
radiologist	**radiólogo**	*radee-ologo*

orthopedic surgeon	**traumatólogo**	*traumatologo*
urologist	**urólogo**	*urologo*
The body		
forearm	**antebrazo**	*antebraso*
appendix	**apéndice**	*apendise*
artery	**arteria**	*arteree-a*
spleen	**bazo**	*baso*
mouth	**boca**	*boka*
arm	**brazo**	*braso*
head	**cabeza**	*kabesa*
eyebrow	**ceja**	*seha*
elbow	**codo**	*kodo*
spine	**columna vertebral**	*kolumna vertebral*
heart	**corazón**	*korason*
rib	**costilla**	*kosteeya*
neck	**cuello**	*cweyo*
finger	**dedo**	*dedo*
defecation	**defecación**	*defekasion*
tooth	**diente**	*dee-ente*
groin	**empeine**	*empayne*
shoulder/back	**espalda**	*espalda*
stomach	**estómago**	*estomago*
extremities	**extremidades**	*extremidades*
flow	**flujo**	*flooho*
throat	**garganta**	*garganta*
blood group	**grupo sanguíneo**	*groopo sangine-o*
liver	**hígado**	*igado*
shoulder	**hombro**	*ombro*
hormone	**hormona**	*ormona*
bone	**hueso**	*weso*
intestine	**intestino**	*intesteeno*
lip	**labio**	*labee-o*
tongue	**lengua**	*lengwa*
hand	**mano**	*mano*
tooth/molar	**muela**	*mwayla*
wisdom tooth	**muela de juicio**	*mwayla de hoo-isee-o*
wrist	**muñeca**	*munyeka*
thigh	**muslo**	*muslo*
nose	**nariz**	*naris*
ear	**oído**	*o-eedo*
eye	**ojo**	*oho*
outer ear	**oreja**	*oreha*

urine	orina	oreena
ovaries	ovarios	ovaree-os
eyelid	párpado	parpado
chest	pecho	pecho
penis	pene	pene
foot	pie	pee-e
skin	piel	pee-el
leg	pierna	pee-erna
sole	planta del pie	planta del pee-e
prostate	próstata	prostata
lung	pulmón	pulmon
kidney	riñón	rinyon
blood	sangre	sangre
secretions	secreciones	sekresiones
breast	seno	seno
sweat	sudor	sudor
testicles	testículo	testikulo
thyroid	tiroides	tiroydes
ankle	tobillo	tobeeyo
bowels	tripa	treepa
nail	uña	unya
uterus	útero	ootero
vagina	vagina	vaheena
vein	vena	vena
vesicule	vesícula	vesikula
stomach	vientre	vee-entre

Illnesses and symptoms

spontaneous miscarriage	aborto espontáneo	aborto espontane-o
allergy	alergia	alerhee-a
tonsils/tonsilitis	amígdalas / anginas	amigdalas/anheenas
anaemia	anemia	anemee-a
angina	angina de pecho	angeena de pecho
apendicitis	apendicitis	apendisitis
stomach burn	ardor de estómago	ardor de estomago
arthritis	artritis	artritis
asthma	asma	asma
goitre	bocio	bosee-o
bronchitis	bronquitis	bronkeetis
lump	bulto	bulto
corn	callo	kayo
cancer	cáncer	kanser
cystitis	cistitis	sistitis

conjunctivitis	**conjuntivitis**	*konhuntiveetis*
to have a cold	**constipado**	*konstipado*
contusion	**contusión**	*kontusion*
chronic	**crónico**	*kroniko*
faint	**desmayo**	*desmayo*
diabetes	**diabetes**	*dee-abetes*
diarrhoea	**diarrea**	*dee-arre-a*
headache	**dolor de cabeza**	*dolor de kabesa*
eczema	**eczema / erupción**	*ecsema/erupsion*
pregnancy	**embarazo**	*embaraso*
illness	**enfermedad**	*enfermedad*
mental illness	**enfermedad cerebral**	*enfermedad serebral*
poisoning	**envenenamiento**	*envenanamee-ento*
shiver	**escalofrío**	*eskalofree-o*
cramp	**esguince**	*esginse*
sneeze	**estornudar**	*estornudar*
constipation	**estreñimiento**	*estrenyimee-ento*
gastro-enteritis	**gastroenteritis**	*gastroentereetis*
flu	**gripe**	*greepe*
haemorrhage	**hemorragia**	*emarrahee-a*
hepatitis	**hepatitis**	*epateetis*
wound	**herida**	*ereeda*
high blood pressure	**hipertensión**	*eepertension*
indigestion	**indigestión**	*indihestion*
stroke	**infarto**	*infarto*
infection	**infección**	*infecsion*
bacterial infection	**infección bacterial**	*infecsion bakterial*
viral infection	**infección vírica**	*infecsion virika*
inflamed	**inflamado / hinchado**	*inflamado/inchado*
poisoned/intoxicated	**intoxicación**	*intoxsikasion*
irritation	**irritación**	*irritasion*
migraine	**jaqueca**	*hakeka*
wound	**llagas**	*yagas*
dizzy	**mareo**	*mare-o*
meningitis	**meningitis**	*meninheetis*
fungal infection	**micosis / hongos**	*mikosis/ongos*
pain	**molestias**	*molestee-as*
nausea	**náuseas**	*nowse-as*
pneumonia	**neumonía**	*ne-umonee-a*
ringing ears	**otitis**	*oteetis*
mumps	**paperas**	*paperas*
sting	**picadura**	*pikadoora*

itch	**picor / escocor**	*pikor/eskokor*
polio	**poleo**	*poleo*
pneumonia	**pulmonía**	*pulmonee-a*
burn	**quemadura**	*kaymadura*
cold	**resfriado**	*resfree-ado*
rheumatism	**reúma**	*re-ooma*
broken / fractured bone	**rotura / fractura**	*rotoora/fraktoora*
rubella	**rubeola**	*rube-ola*
measles	**sarampión**	*sarampion*
sero-positive	**seropositivo**	*seropositivo*
AIDS	**Sida**	*seeda*
shakes	**temblor**	*temblor*
blood pressure	**tensión arterial**	*tension arteree-al*
tetanus	**tétano**	*tetano*
twist	**torcedura**	*torsedoora*
whooping cough	**tos ferina**	*tos fereena*
to cough	**toser**	*toser*
tuberculosis	**tuberculosis**	*tuberkulosis*
ulcer	**úlcera**	*ulsera*
chickenpox	**varicela**	*varisela*
veins	**varices**	*varises*
venereal	**venérea**	*venere-a*

What you say

It hurts here	**Me duele aquí**
	me dwayle akee
I am / my wife/son/daughter/father/mother/brother sister is sick	**Estoy enfermo / Mi mujer / mi hijo,-a / mi padre / mi madre / mi hermano,-a está enfermo,-a**
	estoy enfermo/mi mooher/mi eeho,-a/me padre/mi madre/mi ermano,-a esta enfermo,-a
I don't feel very well	**No me siento bien**
	no me see-ento bee-en
Can the doctor come to my house?	**¿Puede venir a casa el doctor?**
	pwayde veneer a kasa el doktor?
I have a bad headache	**Tengo fuertes dolores de cabeza**
	tengo fwertes dolores de kabesa
I have a cold	**Estoy resfriado**
	estoy resfree-ado

I have got exzema	**Me ha salido un eczema / una erupción**
	me a salido un ecsema/una erupsion
I have got pains in my chest	**Tengo / Tiene molestias en el pecho**
	tengo/tee-ene molestee-as en el pecho
I have a fever	**Tengo / Tiene fiebre**
	tengo/tee-ene fee-ebre
I feel weak	**Me encuentro débil**
	me encwentro debil
I feel dizzy	**Estoy mareado**
	estoy mare-ado
It is a light/strong/constant fever	**Es un dolor débil / fuerte / constante**
	es un dolor debil/fwerte/constante
It only hurts when I touch it	**Sólo me duele al tocarlo**
	solo me dwayle al tokarlo
It itches	**Me escuece**
	me escwese
It itches	**Me pica**
	me peeka
I need a prescription for some pain killers	**Necesito una receta para analgésicos**
	neceseeto una reseta para analhesikos
I have forgotten the name of the medicine	**Se me ha olvidado el nombre de los medicamentos**
	se me a olvidado el nombre de los medikamentos
I am allergic to penicilin	**Soy alérgico a la penicilina**
	soy alerhiko a la penisilina
I am asthmatic/diabetic/epileptic	**Soy asmático / diabético / epiléptico**
	soy asmatiko/dee-abetiko/epileptika
I usually take antihistamines	**Normalmente tomo antihistamínicos**
	normalmente tomo anti-istaminikos
I am on the pill/insulin	**Tomo la píldora / insulina**
	tomo la pildora/insuleena
I have heart problems. I had a stroke 2 years ago	**Padezco del corazón. Me dio un infarto hace 2 años**
	padesko del korason. Me dee-o un infarto ase 2 anyos
I have had my appendix out	**Me han operado de apendicitis**
	me an operado de apendisitis
I have a stomach ulcer	**Tengo úlcera de estómago**
	tengo ulsera de estomago
I have been sick	**Tengo vómitos**
	tengo vomitos

I am not sleeping well at night	**No duermo bien por las noches** *no dwermo bee-en por las noches*
I am 3 months pregnant	**Estoy embarazada de 3 meses** *estoy embarasada de 3 meses*
I think I have a vaginal infection. Do I need to see a specialist?	**Creo que tengo una infección vaginal** **¿tengo que consultar a un especialista?** *kray-o kay tengo una infecsion vahinal,* *tengo kay konsultar a un espesee-alista?*
It is my period	**Tengo la regla** *tengo la regla*
My period hasn't started	**No me ha venido / bajado la regla** *no me a veneedo/bahado la regla*
I'd like to see a skin specialist	**Quiero que me vea el especialista de la** **piel** *kee-ero kay me vay-a el espesee-alista* *de la pee-el*
I'd like to have some tests, because I am always tired	**Me gustaría hacerme unos análisis** **porque me encuentro cansado** *me gustaree-a aserme unos analisis* *porkay me encwentro kansado*
When should I take the medicine?	**¿Cuándo debo tomar la medicina?** *kwando debo tomar la mediseena?*
When do I take this one and when do I take the other?	**¿Cuándo tomo esta y cuando tomo esta** **otra?** *kwando tomo esta y cwando tomo esta* *otra?*
How many pills/spoonfuls should I take each time?	**¿Cuántas pastillas / cucharadas debo** **tomar cada vez?** *kwantas pasteelas/kucharadas debo* *tomar kada ves?*
Can you write the instructions for me? Please write clearly	**¿Me lo puede escribir aquí? Con letra** **clara, por favor** *me lo pwayde eskribeer akee? Kon letra* *clara, por favor*
When should I come back?	**¿Cuándo vuelvo a consulta?** *kwando vwelvo a konsulta?*

What you hear

Pase por favor	Come in please
¿Qué le pasa / le duele?	What is the problem?

¿Qué molestias tiene?	Where does it hurt?
¿Desde cuándo?	When did this start?
¿Es la primera vez que le pasa?	Is this the first time that it has happened?
¿Padece alguna alergia?	Are you allergic to anything?
¿Sigue algún tratamiento?	Are you on any other treatment?
¿Toma medicamentos?	Are you taking any medicine?
¿Está embarazada?	Are you pregnant?
¿Está vacunado contra el tétanos?	Have you had your tetanus vaccination?
¿Tiene fiebre?	Do you have a fever?
¿Cuántos años tiene?	How old are you?
Desnúdese / quítese la ropa	Please, get undressed
Túmbese ahí	Lie down over there
Levántese, por favor	Get up, please
Descúbrase el brazo / el pecho / la espalda	Uncover your arm/chest/back
Voy a tomarle la tensión	I'm going to take your blood pressure
¿Le duele si toco aquí?	Does it hurt if I touch it here?
Respire hondo	Take a deep breath
Respire por la boca	Breathe through your mouth
Abra la boca	Open your mouth
Diga «Aaaaahhhh», por favor	Say «Aaaaahhhh»
Tosa	Cough
Vístase ya	Get dressed, please
Voy a recetarle unos antibióticos	I am going to prescribe some antibiotics
Tiene que guardar reposo	You need to rest
Está embarazada	You are pregnant
Tiene que hacerse unos análisis de sangre / orina	We will have to do a blood/urine analysis
Tiene que hacerse unas radiografías	We will have to take some x-rays
Le voy a enviar al especialista	I'm going to refer you to a specialist
Hay que operarlo	You need an operation
Vuelva en 2 días si no ha mejorado	Come back in 2 days if it hasn't improved
Tiene una enfermedad contagiosa	You have a contagious disease
Debe tomar esta medicina a la hora de las comidas	Take this medicine with meals
Póngase esta pomada en la zona	Put this cream on the affected area
Tómese este jarabe	Take this syrup
Tómese estas pastillas / comprimidos / cápsulas / píldoras	Take these pills/capsules/tablets

Vaya al practicante a ponerse estas inyecciones	The trainee doctor will give you an injection
Le voy a dar una baja	I'm going to give you a doctor's note
Tiene que volver dentro de 3 días / 1 semana	Come back in 3 days/a week

In the hospital. Emergency admissions to hospital are done directly by the hospital staff. For this reason, you should always carry your ID card and your health care card with you. If the hospital admission is prescribed by a specialist, the specialist will do the admission administration and give you a ticket *(volante)*. In this case you will need to take your ID and health care cards and your ticket to the hospital. If they are going to operate, they will need to do series of tests first (analysis, electro-cardiogram etc).

If a friend or relative is in hospital and you want to know about their progress, you need to be aware that the doctors have a fixed timetable for these consultations. If you ask a nurse or at Reception they will be able to tell you the best time to speak to the doctor – you will need to know the patient's full name, the room they are in and, preferably, the name of the doctor who is treating them.

Words you might need

admissions	**admisión**	*admision*
anaesthetic	**anestesia**	*anestesee-a*
anaesthetist	**anestesista**	*anestesista*
bed	**cama**	*kama*
surgery	**cirugía**	*siroohee-a*
consultation	**consultas**	*konsultas*
intensive care	**cuidados intensivos**	*kweedados intenseevos*
cot	**cuña**	*koonya*
to say you can leave	**dar el alta**	*dar el alta*
echograph	**ecografía**	*ekografee-a*
nurse	**enfermera,-o**	*enfermera,-o*

Visiting hospitals. Public hospitals have fixed visiting hours, which are usually from 3 until 6 in the afternoon. In some hospitals they give you a visiting card to go into the rooms, and they are very strict about the number of visitors. The nurses will not usually permit more than two or three people to visit the patient at the same time. Most hospitals do not permit children under six years old to visit.

scanner	**escáner**	_eskaner_
room	**habitación**	_abitasion_
hospitalisation	**hospitalización**	_ospitalisasion_
information	**información**	_informasion_
to admit (to hospital)	**ingresar**	_ingresar_
medicine	**medicinas**	_mediseenas_
doctor	**médico / doctor**	_mediko/doktor_
crutches	**muletas**	_muletas_
pyjamas	**pijama**	_pihama_
tests	**pruebas**	_prwaybas_
operating theatre	**quirófano**	_kirofano_
x-rays	**radiografía**	_radee-ografee-a_
resuscitation	**reanimación**	_re-animasion_
reception	**recepción**	_resepsion_
rehabilitation	**rehabilitación**	_re-abilitasion_
waiting room	**sala de espera**	_sala de espera_
toilets	**servicios**	_servisee-os_
wheelchair	**silla de ruedas**	_seeya de roo-aydas_
scan	**sonda**	_sonda_
serum	**suero**	_swero_
nursing assistant	**técnico auxiliar**	_tecniko auxilee-ar_
thermometer	**termómetro**	_termometro_
bell	**timbre**	_timbre_

What you say

Can you tell my family/friend?	**¿Pueden avisar a mi familia / amigo?** _pwayden avisar a mi familee-a/ameego?_
When are they going to operate?	**¿Cuándo me van a operar?** _kwando me van a operar?_
When is visiting time?	**¿Cuál es el horario de visita?** _kwal es el oraree-o de viseeta?_
Are they going to put me in plaster?	**¿Me van a escayolar?** _me van a eskayolar?_
Is the doctor coming soon?	**¿El doctor va a venir pronto?** _el doktor va a veneer pronto?_
Can I see the head doctor?	**¿Podría ver al médico jefe?** _podree-a ver al mediko hefe?_
Can you give me something for the pain?	**¿Me puede dar algo para el dolor?** _me pwayde dar algo para el dolor?_

I have come to visit a relative/friend who was admitted yesterday. His/her name is …	**Vengo a visitar a un familiar / amigo que ingresó ayer. Su nombre es…** *vengo a visitar a un familiar/ameego kay ingresow ayer. Su nombre es …*
I don't know the name of the room, but he/she is in cardiology	**No sé el número de habitación, pero está en cardiología** *no say el noomero de abitasion, pero esta en kardee-olohee-a*
Excuse me, who is the doctor who is looking after [patient's name]? He/she is my wife/husband/son/ daughter/father/mother/brother/ sister/friend	**Por favor, ¿cuál es el nombre del doctor que atiende a [nombre del paciente]? Es mi mujer / marido / hijo,-a / padre / madre / hermano,-a / amigo,-a** *por favor, kwal es el nombre del doktor kay atee-ende a [nombre del paciente]? Es mi mooher/mareedo/ eeho,-a/padre/madre/ermano,-a/ ameego,-a*
When can I speak to the doctor about [patient's name]'s progress?	**¿Cuándo puedo hablar con él/ella para preguntarle por la evolución de [nombre del paciente]?** *kwando pwaydo hablar kon el/ella para preguntarle por la evolusion de [nombre del paciente]?*

What you hear

No se preocupe	Don't worry
Tranquilícese, todo va bien	Calm down, everything is going well
Le operamos mañana	We are going to operate tomorrow
Le vamos a hacer más pruebas	We are going to do some tests
Le vamos a hacer una radiografía / un escáner	We are going to take some x-rays/do a scan
Mañana no coma nada hasta después de la prueba	Don't eat anything tomorrow until after the test
Hemos avisado a la familia / amigos	We have notified your family/friends
Si necesita algo toque el timbre	If you need anything ring the bell
Las visitas tienen que salir de la habitación	Visitors must leave the room
Las enfermeras le traerán la comida / las medicinas	The nurses will bring the food/medicine
No puede fumar	No smoking

At the dentist's. In Spain only a very limited number of dental services are paid for by the Social Security. If you want anything from a filling to false teeth you will have to pay a private dentist.

Words you might need

water	**agua**	*agwa*
hole	**agujero**	*agoohera*
anaesthetic	**anestesia**	*anestesee-a*
extract	**arrancar / extraer / sacar**	*arrankar/extra-er/sakar*
decay	**caries**	*karee-es*
inscisor	**colmillo / incisivo**	*kalmeeyo/insisivo*
false teeth	**dentadura postiza**	*dentadura posteesa*
tooth	**diente**	*dee-ente*
milk tooth	**diente de leche**	*dee-ente de leche*
toothache	**dolor de muelas**	*dolor de mwaylas*
filling	**empaste**	*empaste*
gums	**encías**	*ensee-as*
rinse	**enjuagar**	*enhagwar*
gingivitis	**gingivitis**	*hinhivitis*
bone	**hueso**	*weso*
infection	**infección**	*infecsion*
injection	**inyección**	*inyecsion*
jaw	**mandíbula**	*mandibula*
molar	**muela**	*mwayla*
wisdom tooth	**muela del juicio**	*mwayla del wisee-o*
nerve	**nervio**	*nervee-o*
price	**presupuesto**	*presupwesto*
prosthesis	**prótesis**	*protesis*
bridge	**puente**	*pwente*
root	**raíz**	*ra-is*
glass	**vaso**	*vaso*

What you say

Can the dentist see me today?	**¿Me podría atender hoy el dentista?**
	me podree-a atender oy el dentista?

> **Volunteer dentists.** You can ask your local council's social services about group of doctors (including dentists) who give their services free to immigrants and disadvantaged groups. These volunteers treat a lot of people with low income for free. Ask about them at Social Services!

I have toothache	**Tengo dolor de muelas** *tengo dolor de mwaylas*
I have a chipped tooth	**Tengo una muela picada** *tengo una mwayla pikada*
This tooth hurts	**Me duele esta muela** *me dwayle esta mwayla*
This is the tooth that hurts	**El diente que me duele es éste** *el dee-ente kay me dwayle es este*
Are you going to extract it?	**¿Me lo va a quitar / extraer?** *me lo va a kitar/extra-er?*
Are you going to give me an anaesthetic?	**¿Me va a poner anestesia?** *me va a poner anestesee-a?*
I have broken a tooth/denture	**Se me ha roto un diente / la dentadura** *se me a roto un dee-ente/la dentadura*
I have lost a filling	**Se me ha caído un empaste** *se me a ka-eeda un empaste*
I have a gumboil	**Tengo un flemón** *tengo un flemon*
I need false teeth	**Necesito una dentadura postiza** *neseseeto una dentadura posteesa*
I have come for a clean up/check up	**Venía a hacerme una limpieza / una revisión** *venee-a a aserme una limpee-esa//una revision*
How much does it cost to extract a tooth?	**¿Cuánto cuesta sacar / extraer una muela?** *kwanta kwesta sakar/extraer una mwayla?*
Can you give me a price for doing that?	**¿Me hace un presupuesto, por favor?** *me ase un presupwesto, por favor?*

What you hear

¿Qué diente le duele?	Which tooth hurts?
¿Qué molestias tiene?	What is the problem?
Abra la boca, por favor	Open your mouth, please
No cierre la boca	Don't close your mouth
Escupa	Spit
Enjuáguese	Rinse
Voy a hacerle una radiografía	I am going to take an x-ray
Tengo que empastarle	I will have to fill it
Hay que extraer el diente	I will have to extract it

Tengo que usar el torno	I'll have to use the drill
Tengo que matar el nervio	I will have to deaden the nerve
Cierra la boca	Close your mouth
¿Le sigue doliendo?	Does it still hurt?
Hay que hacer una ortodoncia	You will need a brace
Voy a darle el presupuesto	I will tell you the price
Tiene una caries	You have tooth decay
Habría que sacarle la muela	That molar will have to be extracted
No puedo extraerla con infección	I can't extract it while it is infected
Tómese estos antibióticos	Take these antibiotics
Vuelva dentro de una semana	Come back in a week
Voy a anestesiarle	I'm going to give you anaesthetic
Tendrá la boca dormida durante unas 2 horas	Your mouth will be numb for 2 hours
Evite masticar durante unas horas	Don't chew for a few hours
Puede comer normalmente hoy	You can eat normally today
Beba sólo líquidos	Only take liquids

■ **Chemist's.** When you go to the chemist's you should take the two copies of the prescription that your doctor has given you. The chemist will keep the original and give you the copy.

You can get many medicines direct from the chemist without a prescription, and the chemist can also give you advice about minor problems (headaches, toothaches, colds etc). However, it is always advisable to go to the doctor so that you can be prescribed the correct medication, instead of trying to treat yourself. In addition, many medicines are only available with a prescription.

You can get «*genéricos*» (generic) medicines, which are cheaper and equally effective as those distributed under the brand name of a pharmaceutical company. Ask your chemist. ■

Words you might need

aerosols	**aerosoles**	*a-erosoles*
oxigenated water	**agua oxigenada**	*agwa oxihenada*

 Duty chemist's. Chemist's shops have normal commercial opening hours, but there is always a duty chemist's and, in some cities, they have 24 hour service. You can see a list of the duty chemist's on display in all chemist's shop, if you need help out of normal opening hours. You can also find their addresses in any newspaper or by calling 098.

analgesic/pain killer	**analgésico**	*analhesiko*
aspirin	**aspirina**	*aspireena*
capsule	**cápsula**	*kapsula*
pill	**comprimidos**	*komprimeedos*
diarrhoea	**diarrea**	*dee-arre-a*
pain	**dolor**	*dolor*
plaster	**esparadrapo**	*esparadrapo*
constipation	**estreñimiento**	*estrenyimee-ento*
fever	**fiebre**	*fee-ebre*
gas	**gases**	*gases*
drops	**gotas**	*gotas*
flu	**gripe**	*greepe*
homeopathy	**homeopatía**	*omee-opatee-a*
insulin	**insulina**	*insuleena*
syrup	**jarabe**	*harabe*
syringe	**jeringuilla**	*heringeeya*
pills	**pastillas**	*pasteeyas*
cough tablets	**pastillas para la tos**	*pasteeyas para la tos*
contraceptive pills	**píldora anticonceptiva**	*pildora antikonseptiva*
cream	**pomada**	*pomada*
condom	**preservativo / condón**	*preservativo/kondon*
prescription	**receta**	*reseta*
knee support	**rodillera**	*rodiyera*
sacharine	**sacarina**	*sakareena*
thermometer	**termómetro**	*termometro*
plasters	**tiritas**	*tiritas*
ankle support	**tobillera**	*tobiyera*
cough	**tos**	*tos*
tranquilizer	**tranquilizante**	*trankilisante*
treatment	**tratamiento**	*tratamee-ento*
bandage	**venda**	*venda*

What you say

Excuse me, can you tell me where the nearest duty chemist is to ..... street? The post code is ....?	**Por favor, ¿podría decirme alguna farmacia de guardia que esté cerca de la calle ..... El código postal es .....?** *por favor, podree-a deseerme alguna farmasee-a de gwardee-a kay este serka de la kaye .... El kodeego postal es ...?*

My doctor has given me this prescription	**El médico me ha dado esta(s) receta(s)** *el mediko me a dado esta(s) reseta(s)*
Is there a generic version of this medicine?	**¿Existe algún genérico de este medicamento?** *existe algun heneriko de este medikamento?*
I have a headache. Can you give me anything?	**Me duele la cabeza, ¿me pueden dar algo?** *me dwayle la kabesa, me pwayden dar algo?*
Have you got anything for toothache?	**¿Tienen algo para el dolor de muelas?** *tee-enen algo para el dolor de mwaylas?*
My son/daughter has a fever. What can I do?	**Mi hijo tiene fiebre ¿qué puedo darle?** *mi eeho tee-ene fee-ebre, kay pwaydo darle?*
Do you have anything for diarrhoea/constipation?	**¿Tienen algo para la diarrea / el estreñimiento?** *tee-enen algo para la dee-arre-a/el estrenyimee-ento?*
I have a cough. Do you have any pills I can take?	**Tengo tos, ¿hay algunas pastillas?** *tengo tos, eye algunas pasteeyas?*
Do you have an ankle support?	**¿Tienen una tobillera?** *tee-enen una tobiyera?*
I have burnt myself. Do you have anything?	**Me he quemado, ¿tiene algo?** *me e kaymado, tee-ene algo?*
Do you have anything to disinfect a wound?	**¿Tiene algo para desinfectar una herida?** *tee-ene algo para desinfectar una ereeda?*
My son/daughter has lice. Do you have anything to eliminate them?	**Mi hijo tiene piojos, ¿tiene algo para eliminarlos?** *me eeho tee-ene pee-ohos, tee-ene algo para eliminarlos?*
How do you take/use this medicine?	**¿Cómo se toma / se usa este medicamento?** *como se toma/se usa este medicamento?*
How many do I have to take each time?	**¿Cuánto tengo que tomar / ponerme cada vez?** *kwanto tengo kay tomar/ponerme cada ves?*
How many times per day?	**¿Cuántas veces al día?** *kwantas veses al dee-a?*

¿Qué le pasa?	What is the problem?
¿Qué le duele?	What hurts?
De este medicamento hay / no hay genérico	There is/isn't a generic version of this medicine
Tómese un comprimido cada 8 horas	Take one tablet every 8 hours
Tómese uno por la mañana / por la tarde	Take one in the morning/afternoon
Tómese uno en el desayuno, comida y cena	Take one with breakfast, lunch and dinner
Vaya primero al médico	Go to your doctor first
Si no mejora vaya al médico	If it doesn't improve, go to the doctor
¿Tiene alergia a algún medicamento?	Are you allergic to any medicine?
Échese estas gotas en el oído / ojo / nariz	Put these drops in your ear/eye/nose
No podemos darle este medicamento sin receta	We can't give you this medicine without a prescription

Integrating into society

Being an immigrant in Spain means that you have to adapt to a diverse country, where there are different languages and customs depending on where you live. You may find that you have to explain where you come from and your culture, because the Spanish may not have detailed knowledge of your country. These questions will usually be motivated by the open and communicative nature of the Spanish, and not by mere curiosity.

In this chapter we include information that will make it easier for you to adapt to the realities of Spanish life and make your stay in your new home as pleasant as possible.

The best way of integrating into society is to get involved. Don't be worried about asking questions or making mistakes. Many people will be ready to help you. Find the authorities for your country in Spain (the embassy or consulate) and let them know about your arrival as soon as you can. You will also find it useful to contact associations of immigrants from your country. Remember that the you can contact all the emergency services (police, fire and ambulance) on the phone number 112.

7 Integrating into society

7.1 Integration

■ **Feelings that you might go through.** During your stay in your new home you are going to experience a range of feelings. If you are ready for them you will feel better:

• **Enthusiasm.** At the beginning you will feel very excited about you new situation. You will be excited about getting to know the new culture. You expectations in this period may well be too high and unrealistic.

• **Anxiety and disappointment.** You may not achieve all of your objectives and this can cause frustration and confusion. When this happens it is a good idea not to take important decisions. You can speak to friends or family from your country and other compatriots who you can find through associations for immigrants. Thousands of immigrants have gone through the same feelings before you and have adapted.

• **Confidence and integration.** When you get to this stage you begin to feel better and to appreciate the things that your new country offers. You will feel confident about the decision that you took and excited about your possibilities for the future.

Words you might need

anxious	**ansiedad**	*ansee-edad*
depressed	**deprimido**	*deprimeedo*
depression	**depresión**	*depresion*
dizziness	**mareos**	*maray-os*
insomia	**insomnio**	*insomnee-a*
nervous	**nervioso**	*nervee-oso*
psychologist	**psicólogo**	*seekologa*
sedatives	**tranquilizantes**	*tronkilisantes*
sleeping pills	**pastillas para dormir**	*pasteeyas para dormeer*
worried	**angustiado**	*angustee-ado*

What you say

I'm feeling sad	**Estoy triste**
	estoy triste
I don't feel well	**Me encuentro mal**
	me enkwentro mal
I miss my family	**Echo de menos a mi familia**
	echo de menos a mi familee-a
I have been feeling depressed for a month	**Llevo un mes deprimido**
	yevo un mes deprimeedo

I am not sleeping well at night	**No duermo bien por las noches**
	no dwermo bee-en por las noches
I need to get my documentation	**Necesito obtener los papeles**
	neceseeto obtener los papeles

What you hear

¿Qué te ocurre?	What is the matter?
No te preocupes, todo se soluciona	Don't worry, everything will be OK
Necesitas ayuda	You need help
¿Cómo te puedo ayudar?	How can I help?
Acude a esta asociación / dirección	Go to this association/address

Meeting people. An important part of integration into society is meeting people: your neighbours, your workmates or even the people who work in the shops that you normally go to. The Spanish like to talk, and social relationships are an important part of their lives. As a result, in general, you won't find it difficult to start a conversation with them if you are in their social circle.

Another thing that is very important in order to become integrated into society is learning the language; just knowing a few words in Spanish will make communication a lot easier, and people will thank you for making the effort —even if they don't always understand everything that you are trying to say, it will help you to form social relationships. ▮

What you say

Hello, my name is Mohammed/Fatima	**Hola, soy Mohammed / Fátima**
	Ola, soy Mohammed/Fatima
I'm Winston, your neighbour from the 2nd floor. I'm Jamaican. If I can help you with anything, you know where I live	**Soy el vecino del 2.º, me llamo Winston, soy jamaicano. Si puedo ayudarle en algo, ya sabe dónde vivo**
	Soy el veseeno del 2.º, me yamo Winston, soy hamaykano. Si pwaydo ayudarle en algo, ya sabe donde vivo.

Although this *Guide* will help you learn the phrases that you need in order to communicate, it is strongly recommended that you learn some Spanish. The local Social Services and associations for immigrants organise free spanish courses. Find out about them and start going.

7 Integrating into society

I've lived in this neighbourhood for two months	**Vivo en este barrio desde hace dos meses** *veevo en este barree-o desde ase dos meses*
I'm an electrician. If you need anything you can count on me	**Soy electricista, si necesita algo, cuente con mi ayuda** *soy elektrisista, si neseseeta algo, kwente kon mi ayuda*
Do you live around here?	**¿Vives por aquí?** *veeves por akee?*
What is your name?	**¿Cómo te llamas?** *como te yamas?*
Are you Spanish	**¿Eres español,-la?** *eres espanyol,-la?*
What are your hobbies?	**¿Cuáles son tus aficiones?** *kwales son tus afisiones?*
Excuse me would you like to have a cup of coffee/a soft drink/a cup of tea?	**Perdona, ¿quieres tomar un café / un refresco / un té...?** *perdon, kee-eres tomar un kafe/ un refresko/ un tay...?*
Would you like to go to the cinema?	**¿Quieres ir al cine?** *kee-eres eer al seene?*
I'm organising a party in my flat. Can you come?	**Organizo una fiesta en mi casa, ¿puedes venir?** *organiso una fee-esta en mi kasa, pwaydes veneer?*
Do you like dancing?	**¿Te gusta bailar?** *te gusta bailar?*
I'd like to invite you to eat at my flat	**Te invito a comer a casa** *te inveeto a komer a kasa*

What you hear

De acuerdo/ con mucho gusto/ gracias	OK/I'd love to/thank you
Vale, me apetece	OK, I'd like that
Lo siento, pero no puedo	I'm sorry. I'm afraid I can't
Tengo trabajo / estoy cansado-a / estoy enfermo-a	I'm working/tired/ill
Ya veremos / ya hablaremos	See you/Speak soon

■ **Social services.** If you need help or information about things like where you can learn Spanish, if you have the right to help with accommodation, where your children should go to school or where you should go to find work, you should go to the Social Services department of your local council. The social workers will be able to help you with all sorts of administrative tasks and will be able to tell you where to go if you have a particular problem. ⬛

Words you might need

council	ayuntamiento / municipio	ayuntamee-ento/ moonisipee-o
grant	beca	beka
help	ayuda	ayooda
job centre	bolsa de empleo	bolsa de emple-o
social services	servicios sociales	servisios sosiales
social worker	asistente social	asistente sosial
social worker	trabajador,-a social	trabahador,-a sosial
unemployment benefit	subsidio de desempleo	subsidee-o de desemple-o

What you say

Could I speak to a social worker, please?	¿Podría hablar con un asistente social? podree-a ablar kon un asistente sosial?
I'd like some information about social services in this area	Quiero información de los servicios sociales de este municipio kee-ero informasion de los servisee-os sosiales de este munisipee-o
Can I apply for a grant for food/books?	¿Puedo pedir una beca de comedor / libros? pwaydo pedeer una beka de komedor/leebros?
Is there a job centre?	¿Hay bolsa de empleo? eye bolsa de emple-o?
I need to find a school for my daughter	Necesito escolarizar a mi hija nesesito eskolarisar a mi eeha

> **!** In addition to the Social Services department of the council, you can also look for help from NGOs (ONGs - *Organizaciones No Gubernamentales*), who can help you to look for an interpreter, a «social mediator», or who can advise you about how to get work permits and other official documents. You can find the addresses of the main NGOs that operate in Spain on pages 206-211 of this *Guide*.

My son is disabled. Can we apply for some kind of grant?	**Mi hijo es discapacitado, ¿podemos pedir una ayuda?** *mi eeho es diskapasitado, podemos pedeer una ayooda?*
I haven't got a job but I am not claiming unemployment benefit	**Estoy sin trabajo y no cobro subsidio de desempleo** *Estoy sin trabaho y no kobro subsidee-o de desemple-o*
My mother is ill and we can't look after her in the mornings	**Mi madre está enferma y no podemos atenderla por las mañanas** *me madre esta enferma y no podemos atenderla por las manyanas*
Can you give me the address of the Red Cross?	**¿Me puede dar la dirección de Cruz Roja?** *me pwayde dar la direksion de Krus Roha*

7.2 Papers

■ **Bureaucracy.** You have to go through many steps to get your residence and work permits. In this section we present the vocabulary you need to be able to handle the forms that are given and have to complete. ■

Words you might need

address	**dirección**	*direksion*
age	**edad**	*edad*
applicant	**solicitante**	*solisitante*
birth	**nacimiento**	*nasimee-ento*
civil status	**estado civil**	*estado siveel*
country	**país**	*pa-ees*
children	**descendiente**	*dessendee-ente*
children	**hijos**	*eehos*
district	**distrito**	*distrito*
divorced	**divorciado/-a**	*divorsee-ado/-a*
expiry date	**caducidad**	*kadoosidad*

You will find information about the different types of work and residence permits on pages 193-202 of this *Guide*.

family name	apellido	*apeyeedo*
father's name	nombre del padre	*nombre del padre*
home address	domicilio	*domisilee-o*
identity card	tarjeta de identidad	*tarheta de identidad*
issued	expedido	*expedeedo*
married	casado/-a	*kasada/-a*
mother's name	nombre de la madre	*nombre de la madre*
name	nombre	*nombre*
nationality	nacionalidad	*nasee-onalidad*
number	núm. (número)	*num (noomero)*
parents	ascendiente	*ascendee-ente*
passport	pasaporte	*pasaporte*
place	localidad	*lokalidad*
place of birth	lugar de nacimiento	*loogar de nasimee-ento*
place of issue	lugar de expedición	*loogar de expedision*
post code	código postal	*kodigo postal*
profession	profesión	*profesion*
province	provincia	*provinsee-a*
residence	residencia	*residensee-a*
separated	separado/-a	*separado/-a*
sex	sexo	*sexo*
single	soltero/-a	*soltera/-a*
street	c/ (calle)	*se (kaye)*
town	municipio	*moonisipee-o*
widower/widow	viudo/-a	*vee-oodo/-a*
wife/husband	cónyuge	*konyuge*
work	trabajo	*trabaho*

What you say

I'd like to apply for a residence permit. What do I have to do?	Quiero tramitar mi permiso de residencia, ¿qué tengo que hacer? *kee-ero tramitar mi permeeso de residensee-a, kay tengo kay aser?*
How do I apply for a work permit?	¿Cómo puedo solicitar un permiso de trabajo? *komo pwaydo solisitar un permeeso de trabaho?*
What does código postal mean?	¿Qué significa código postal? *kay signifeeka kodigo postal?*

7 Integrating into society

I don't have a fixed address. What can I put?	**No tengo dirección fija, ¿qué puedo poner?** *no tengo direksion feeha kay pwaydo poner?*
What papers do I need to apply for a residence permit?	**¿Qué documentos necesito para pedir un permiso de residencia?** *kay dokumentos neseseeta para pedee un permeeso de residensee-a?*
Where do I have to sign?	**¿Dónde tengo que firmar?** *donde tengo kay firmar?*
I don't have an identity document. Where can I apply for one?	**No tengo ningún documento de identificación, ¿dónde lo puedo tramitar?** *no tengo ningun dokumento de identifikasion, donde lo pwayo tramitar?*
Is a birth certificate sufficient?	**¿Es suficiente con mi certificado de nacimiento?** *es sufisee-ente kon mi sertifikado de nasimee-ento?*
Do you need my passport?	**¿Necesita mi pasaporte?** *neseseeta mi pasaporte?*
I don't have a social security card/number	**No tengo número de la seguridad social** *no tengo noomero de la seguridad social*

What you hear

¿Qué desea?	What can I do for you?
Tiene que traer dos fotos de carnet y su pasaporte	You need to bring two passport-size photos and your passport
Debe rellenar estos documentos	Please fill in this form
Le falta la fotocopia de su última nómina	I need a photocopy of your last pay slip
Tiene que traer un contrato de trabajo	You need to bring a job contract
Vuelva cuando lo tenga todo	Come back when you have everything
No sirve	This isn't valid
Está caducado. Tiene que renovarlo	This has expired. You will have to renew i

7.3 Work

■ **Looking for work.** There are many ways that you can look for work. Perhaps the easiest way is to find work through a friend or acquaintance. You should be registered with as many job centres as possible —with those belonging to the state, NGOs and other associations (INEM, Red Cross, Employment gencies, etc). It is also a good idea to look in newspapers that specialise in jobs, to send your CV to companies and to look for work on the internet.

Words you might need

available immediately	disponibilidad inmediata	disponibilidad inmedee-ata
collective agreement	convenio	konvenee-o
CV	currículum vitae (CV)	kurrikulum vitae
driving licence	carnet de conducir	karnet de konduseer
expenses	dietas	dee-etas
experience	experiencia	experee-ensee-a
full time	jornada completa	hornada kompleta
gross wage/salary	sueldo bruto	sweldo brooto
interview	entrevista	entrevista
job contract	contrato laboral	kontrato laboral
job offer	demanda de empleo	demanda de emple-o
job offers	ofertas	ofertas
manager	encargado	enkargado
net wage/salary	sueldo neto	sweldo neto
offers	demandas	demandas
part time	tiempo parcial	tee-empo parsial
pay	remuneración	remunerasion
shift	turno	turno
social security	Seguridad Social (SS)	seguridad sosial
start immediately	incorporación inmediata	inkorporasion inmedee-ata
tools	herramientas	erramee-entas
wage/salary	sueldo	sweldo
without break	jornada continua	hornada kontinwa
work permit	permiso de trabajo	permeeso de trabaho
working day	horario	araree-o
working day	jornada	hornada
Professions		
lawyer	abogado/-a	abogado/-a
actor/actress	actor / actriz	aktor/aktrees

* As so many professions are named after university subjects, we have listed the most common here. If your profession is not listed here, the easiest thing to do is to say that you have a diploma, degree or doctorate (diplomado, licenciado, doctor) in your particular subject.

> **!** You should be aware that at the moment the rate of unemployment in Spain is one of the highest in the European Union.

farmer	**agricultor/-a**	*agrikultor/-a*
builder	**albañil**	*albanyil*
assistant	**asistenta**	*asistenta*
kitchen assistant	**ayudante de cocina**	*ayudante de koseena*
biologist	**biólogo/-a**	*bee-ologo/-a*
cashier	**cajero/-a**	*kahero/-a*
waiter/waitress	**camarero/-a**	*kamarero/-a*
butcher	**carnicero/-a**	*karnisero/-a*
carpinter	**carpintero/-a**	*karpintero/-a*
locksmith	**cerrajero/-a**	*cerrahero/-a*
cook	**cocinero/-a**	*kosinero/-a*
driver	**conductor/-a**	*konduktor/-a*
shop assistant	**dependiente/-a**	*dependee-ente/-a*
designer	**diseñador/-a**	*disenyador/-a*
economist	**economista**	*ekonomista*
electrician	**electricista**	*elektrisita*
maid	**empleada de hogar**	*empleada de owgar*
nurse	**enfermero/-a**	*enfermero/-a*
philologer	**filólogo/-a**	*filologo/-a*
physicist	**físico/-a**	*fisiko/-a*
plumber	**fontanero/-a**	*fontanero/-a*
grocer	**frutero/-a**	*frootero/-a*
IT	**informático/-a**	*informatiko/-a*
engineer	**ingeniero/-a**	*inhenee-ero/-a*
live-in	**interno/-a**	*interno/-a*
gardener	**jardinero/-a**	*hardinero/-a*
cleaner	**limpiador/-a**	*limee-ador/-a*
teacher	**maestro/-a**	*maystro/-a*
mathematician	**matemático/-a**	*matematiko/-a*
mechanic	**mecánico/-a**	*mekaniko/-a*
doctor	**médico/-a**	*mediko/-a*
messenger	**mensajero/-a**	*mensahero/-a*
warehouse worker	**mozo/-a de almacén**	*moso/-a de almasen*
delivery person	**mozo/-a de carga y descarga**	*moso/-a de karga y deskarga*
musician	**músico/-a**	*moosiko/-a*
nanny	**niñera / canguro**	*ninyera/kangooro*
hairdresser	**peluquero/-a**	*pelookero/-a*
labourer	**peón**	*pay-on*
journalist	**periodista**	*peree-odista*
fisherman/woman	**pescadero/-a**	*peskadero/-a*
painter	**pintor/-a**	*pintor/-a*
psychologist	**psicólogo/-a**	*sikologo/-a*

chemist	**químico/-a**	*kimiko/-a*
delivery person	**repartidor/-a**	*repartidor/-a*
solderer	**soldador/-a**	*soldador/-a*
translator	**traductor/-a**	*traduktor/-a*
security guard	**vigilante**	*vihilante*

What you say

I'm looking for work	**Estoy buscando trabajo**
	estoy buskando trabaho
Is your company looking for workers?	**¿En tu empresa necesitan otro trabajador?**
	en tu empresa neseseetan otro trabahador?
Do you need a worker?	**¿Necesitan un trabajador?**
	neseseetan un trabahador?
I'm a mechanic. Do you have any jobs?	**Soy mecánico, ¿habría trabajo para mí?**
	soy mekaniko, abree-a trabaho para mi?
I'd like to work in your company. Do you need an assistant?	**Quisiera trabajar en su empresa, ¿necesita un ayudante?**
	kisee-era trabahar en su empresa, neseseeta un ayoodante?
I have 5 years experience as an electrician	**Tengo 5 años de experiencia como electricista**
	tengo 5 anyos de experee-ensee-a komo elektrisita
Where can I find the site manager?	**¿Dónde puedo encontrar al jefe de obra?**
	donde pwayo enkontrar al hefe de obra?
Can I speak to the manager?	**¿Puedo hablar con el encargado?**
	pwaydo ablar kon el enkargado?
I have a driving licence	**Tengo carnet de conducir**
	tengo karnet de kondooseer
I have a car/motor bike	**Tengo coche / moto**
	tengo koche/moto
I'm looking for work as a messenger	**Busco trabajo de mensajero**
	busko trabaho de mensahero
I am very responsible and hard working	**Soy muy responsable y trabajador**
	soy mwee responsable y trabahador
I worked as a waiter in my country for 5 years	**He trabajado en mi país 5 años de camarero**
	ay trabahado en mi pa-ees 5 anyos de kamarero

I have done this job before	**Tengo experiencia en este puesto**
	tengo experee-ensee-a en este pwesto
I know this trade very well	**Conozco bien el oficio**
	konosko bee-en el ofisee-o
I'm looking for work as a builder	**Busco trabajo como albañil**
	busko trabaho komo albanyil
Can you give me a phone number to call in a week?	**¿Me pueden dar un número de teléfono para llamar la semana que viene?**
	me pwayden dar un noomero de telefono para yamar la semana que vee-ene?
I don't have a work permit	**No tengo permiso de trabajo**
	no tengo permeeso de trabaho
I only have a residence permit	**Sólo tengo permiso de residencia**
	solo tengo permeeso de residensee-a
I can look after your parents/children at night	**Puedo cuidar a sus padres / hijos por la noche**
	pwaydo kweedar a sus padres/eehos por la noche

What you hear

¿Quiere trabajar?	Are you looking for work?
¿Tiene permiso de trabajo?	Do you have a work permit?
¿Tiene papeles?	Do you have your papers?
¿Tiene experiencia?	Do you have any experience?
¿Ha cuidado niños alguna vez?	Have you ever looked after children?
¿Tiene coche?	Do you have a car?
¿Conoce las herramientas?	Do you know how to use the tools?
Tiene que traer sus propias herramientas	You have to bring your own tools
La jornada es de 12 horas al día	The working day is 12 hours every day
Las horas extras se pagan a 5 €	We pay overtime at 5 € per hour
El sueldo es según convenio	The wage is based on the collective agreement
Libra los domingos	Sundays are free
Ahora no necesitamos a nadie	We don't need anybody at the moment
Déjenos su teléfono	Leave your phone number
Dentro de 15 días empezamos otra obra	We have another job starting in 15 days
Le avisamos a través de su amigo	We will let you know through your friend

Le llamaremos si hay alguna oferta	We will call you if we have anything to offer
Empieza mañana a las 7 de la mañana	Start tomorrow at 7 in the morning

What you see

Abstenerse extranjeros sin papeles	Papers essential
Buscamos profesionales para trabajar en turno de noche	We are looking for professional people to work nights
Conocimientos de albañilería	Must have experience as a builder
Contrato laboral	Job contract
Contrato mercantil	Contract to provide a professional service
Contrato y alta en SS (Seguridad Social)	Contract and registration with the Social Security
Demandas de empleo	Job offers
Edad máxima 30 años	Maximum 30 years old
Experiencia 1 año demostrable	1 year of proven experience
Horario de lunes a viernes de 8 a 15 horas	Working day from 8 in the morning until 3 in the afternoon
Horario diurno o nocturno	Day or night shift
Imprescindible papeles en regla	Valid papers essential
Incorporación inmediata	Start immediately
Interesados mandar CV (currículum vitae) a la siguiente dirección...	Send your CV to this address...
Interesados pasar por la C/ San Pablo, 31	Apply in person at C/ San Pablo, 31
Interna se precisa para cuidado de señora	Live-in help for a lady
Jornada partida	Split shift
Los interesados pueden ponerse en contacto con nosotros en el teléfono...	If you are interested call us on ...
2 meses de prueba con posterior incorporación a plantilla	Permanent position on completion of 2 month trial period
No se requiere experiencia	No experience necessary
Ofertas de empleo	Job offers
Preguntar al encargado	Ask for the manager
Posibilidad de promoción	Possibilities for promotion
Salario 610 € netos/mes	Net salary 610 € month
Se busca dependiente con experiencia	We are looking for an experienced shop assistant

7 Integrating into society

Se necesita camarero	Waiter/waitress required
Se necesita peón de albañil para obra	Building labourers required for a job
Se necesita personal con carnet de moto	We are looking for people with motorbike licences
Se necesita personal para fin de semana	Weekend help required
Se necesita señora de limpieza	Cleaning woman required
Se necesitan referencias	References essential
Se ofrece jornada completa de día o noche	Full time, day or night shift
Se precisa ayudante de cocina	Kitchen staff required
Se requiere disponibilidad inmediata	Immediate start essential
Se requiere experiencia profesional mínima de 2 años en puesto similar	Minimum 2 years professional experience in a similar position
Se valorará la experiencia	Experience preferred
Tiempo completo / jornada completa	Full time
Zona de trabajo: sur de Madrid	Area of work: the south of Madrid

Training. In order to find your first job or to improve your abilities it is a good idea to do some training courses, which will enable you to do other jobs or improve the skills that you already have. Some public sector bodies offer free training courses. These might be continuous training (for people who are already working) or occupational training (when the worker is registered as unemployed and looking for work with INEM). These courses will be free and cover many different areas of activity: hotels, construction, house work, IT etc.

Words you might need

transport subsidy	**beca de transporte**	*beka de transporte*
coordinator	**coordinador/-a**	*ko-ordinador/-a*
courses for the unemployed	**cursos para desempleados**	*kursos para desemple-ados*
courses for workers	**cursos para trabajadores**	*kursos para trabahadores*
name of the course	**denominación del curso**	*denominasion del kurso*
duration of the course	**duración del curso**	*durasion del kurso*
specialities	**especialidades**	*espesialidades*
continuous training	**formación continua**	*formasion kontinwa*
occupational training	**formación ocupacional**	*formasion okupasional*
morning courses	**horario de mañana**	*oraree-o de manyana*
afternoon courses	**horario de tarde**	*oraree-o de tarde*
to register (with INEM)	**inscribirse (en el INEM)**	*inskribeerse (en el INEM)*

location of the course	**lugar de impartición**	*loogar de impartision*
trainer	**profesor/-a**	*profesor/-a*
selection	**selección**	*seleksion*

What you say

I'd like some information about the courses you offer	**Quiero información de los cursos que ofrecen**
	kee-ero informasion de los kursos kay ofresen
I'm unemployed and I'd like to do a course on hotels	**Estoy desempleado y quiero hacer un curso de hostelería**
	estoy desempleado y kee-ero aser un kurso de osteleree-a
I'm working and I'd like to do a course on IT in the afternoon	**Estoy trabajando y quería un curso, por las tardes, de informática**
	estoy trabahando y keree-a un kurso, por las tardes, de informatika
What courses do you have here?	**¿Qué cursos ofrecen aquí?**
	kay kursos ofresen akee?
What are the requirements?	**¿Cuáles son los requisitos?**
	kwales son los rekiseetos?
Do you give courses in the morning/ afternoon	**¿Tienen cursos por la mañana / por la tarde?**
	tee-enen kursos por la manyana/por la tarde?
When do they start?	**¿Cuándo empiezan?**
	kwando empee-esan?
How can I register?	**¿Cómo puedo inscribirme?**
	komo pwaydo inskribeerme?
Will you call me?	**¿Me llaman ustedes?**
	me yaman ustedes?
What papers do I need?	**¿Qué papeles necesito?**
	kay papeles neseseeto?
Can you give me a contact number?	**¿Me puede dar un número de contacto?**
	me pwayde dar un noomero de kontakto?
Who should I ask for?	**¿Por quién tengo que preguntar?**
	por kee-en tengo kay preguntar?
When does it begin?	**¿Cuándo empiezan?**
	kwando empee-esan?

Where do they teach the course?	**¿Dónde se imparten los cursos?**
	donde se imparten los kursos?
How many hours is the course?	**¿Cuántas horas dura el curso?**
	kwantas oras doora el kurso?
How many hours a day is it?	**¿Cuántas horas son al día?**
	kwantas oras son al dee-a?
How many months is it?	**¿Cuántos meses dura?**
	kwantos meses doora?
Is there a transport subsidy?	**¿Tienen beca de transporte?**
	tee-enen beka de transporte?
How often can you miss the course?	**¿Cuántas veces se puede faltar al curso?**
	kwantas veses se pwayde faltar al kurso?
Will they give me the material, or do I have to bring everything I need?	**¿Me dan el material o tengo que traer algo?**
	me dan materee-al o tengo kay tra-er algo?
Do you have to pay for the course?	**¿Pagan por realizar el curso?**
	pagan por ree-alisar el kurso?

What you hear 🔊

¿Qué desea?	How can I help?
No quedan plazas para ese curso	There aren't any more places for that course
Ahora no hay cursos	There are no courses at the moment
Empiezan en mayo o junio	They begin in May and June
Llame en abril a este número de teléfono	Call this number in April
Pásese en septiembre	Call again in September
Tiene que rellenar este impreso	You have to complete this form
Ya le llamaremos	We will call you
Sólo se puede apuntar en dos cursos	You can only do two courses
¿Los quiere por la mañana o por la tarde?	Would you like to do it in the morning or the afternoon?
El curso dura 3 meses, tiene 300 horas	The course is a total of 300 hours. It lasts 3 months
El material lo entregamos el primer día de clase	We give you the material on the first day of the course
Sólo se permiten 2 faltas justificadas	You can only miss two days and these must be justified

El curso se imparte en Embajadores	The course is in Embajadores
Puede solicitar la beca transporte	You can apply for a transport subsidy
Habrá una selección	There is a selection procedure
Si es seleccionado se le avisará	If you are successful, we will inform you
Si quiere más cursos infórmese en su oficina de empleo (INEM)	If you are interested in other courses you can get more information at the employment office (INEM)
También puede mirar en el ayuntamiento	You can also ask the council
Los sindicatos también realizan cursos	The unions also offer courses

■ **Trade unions (Organizaciones sindicales).** If you need advice about the type of contract that you have been offered and whether its conditions are legal or not, you can ask one of the unions. These associations defend workers' rights and offer a range of services such as legal and job advice. You have to pay an annual fee to use their services. However, the biggest unions usually have a section for advising immigrants on such things as work and residence permits, nationality issues, reuniting the family etc and these services are free. They also offer Spanish courses.

Words you might need

accident at work	**accidente laboral**	*aksidente laboral*
advice	**asesoría**	*asesoree-a*
appointment	**cita**	*seeta*
collective agreement	**convenio**	*konvenee-o*
compensation	**indemnización**	*indemnisasion*
contract	**contrato**	*kontrato*
dismissal	**despido**	*despeedo*
duties	**deberes**	*deberes*
expenses	**dietas**	*dee-etas*
final payment	**finiquito**	*finikeeto*

 The unions offer free legal advice on labour issues to their members. To become a member you have to join one of the unions and pay an annual fee.

You can also get advice from their lawyers without being a member, but you have to pay for the consultation. However, it is usually cheaper than consulting a private lawyer.

lawyer	**abogada**	*abogada*
papers	**documentación**	*dokumentasion*
pay slip	**nóminas**	*nominas*
register with the social security	**alta en la seguridad social**	*alta en la seguridad sosial*
report	**denuncia**	*denunsee-a*
rights	**derechos**	*derechos*
sign off the social security	**baja en la seguridad social**	*baha en la seguridad sosial*
witness	**testigo**	*testeego*
work history	**vida laboral**	*veeda laboral*

What you say

I am/am not a member	**Soy afiliado / no soy afiliado**
	soy afilee-ado/no soy afilee-ado
I am not a member but I would like some advice	**No estoy afiliado, pero quiero hacer una consulta**
	No estoy afilee-ado, pero kee-ero aser una konsulta
I'd like to join. What is the annual fee?	**Quiero afiliarme, ¿cuánto es la cuota anual?**
	kee-ero afilee-arme, kwanto es la kwowta anual?
I'd like to consult a lawyer	**Quiero consultar a un abogado**
	kee-ero konsultar a un abogado
I have been dismissed	**Me han despedido**
	me an despedeedo
They have told me not to return to work	**Me han dicho que no vuelva a trabajar**
	me an deecho kay no vwelva a trabahar
I haven't been paid	**No me han pagado**
	no me an pagado
What can I do?	**¿Qué puedo hacer?**
	kay pwaydo aser?
I'd like to report my company	**Quiero denunciar a mi empresa**
	kee-ero denunsee-ar a mi empresa
I'd like you to tell me if they have calculated the final payment correctly	**Quiero que me digan si está bien hecho el finiquito**
	kee-ero kay me deegan si esta bee-en echo el finikeeto

I'd like to know if I have any rights to holidays	**Quiero saber si tengo derecho a vacaciones** *kee-ero saber si tengo derecho a vakasiones*
I'd like to know if there is any obligation for me to work overtime	**Me gustaría saber si tengo obligación de hacer horas extras** *me gustaree-a saber si tengo obligasion de aser oras extras?*
How much should they pay me for overtime?	**¿A cuánto me tienen que pagar las horas extras?** *a kwanto me tee-enen kay pagar las oras extras?*
It is compulsory for them to pay my expenses?	**¿Es obligatorio que me paguen las dietas?** *es obligatoree-o kay me pagen las dee-etas*
I'd like a copy of the collective agreement for builders. Do you have it in Chinese?	**Quiero un convenio de la construcción, ¿lo tienen en chino?** *kee-ero un konvenee-o de la konstruksion, lo tee-enen en cheeno?*
I'd like an appointment with the lawyer	**Quiero una cita con el abogado** *kee-ero una seeta kon el abogado*
How much is a consultation with the lawyer?	**¿Cuánto cuesta la consulta con el abogado?** *kwanto kwesta la konsulta kon el abogado?*
What papers do I need to bring?	**¿Qué documentos tengo que traer?** *kay dokoomentos tengo kay tra-er?*
Has my contract been written correctly?	**¿Está bien mi contrato?** *esta bee-en mi kontrat?*
I don't think they have registered me with the Social Segurity	**Creo que no me han dado de alta en la Seguridad Social** *kre-o kay no me an dado de alta en la seguridad sosial*
They have dismissed me before the end of the contract	**Me han despedido sin terminar el contrato** *me an despedeedo sin terminar el kontrato*
The contract is for completion of a specific job, and the job hasn't finished yet.	**El contrato es de obra y servicio y la obra no ha terminado** *el kontrato es de obra y servisee-o y la obra no a terminado*

They don't want to register me with the Social Security	**No me quieren dar de alta** *no me kee-eren dar de alta*
I requested a copy of the history of my contributions, and they are not paying my Social Security	**He pedido una vida laboral y no están pagando la seguridad social** *ay pedeedo una veeda laboral y no estan pagando la seguridad sosial*
They don't want to give me a payslip	**No me quieren dar las nóminas** *no me kee-eren dar la nominas*
Expenses don't appear on my payslip	**En mis nóminas no aparecen las dietas** *en mis nominas no aparesen las dee-etas*
They don't give me the necessary material for prevention of risks at work	**No me dan el material de prevención de riesgos laborales** *ne me dan el materee-al de prevension de ree-esgos laborales*
I have been off work sick and they have dismissed me	**He estado de baja por enfermedad y me han echado** *ay estado de baja por enfermedad y me an echado*
They owe me for 3 months	**Me deben 3 meses** *me deben 3 meses*
They always pay me late	**Me pagan la nómina con retraso** *me pagan la nomina kon retraso*

What you hear

Tiene que pedir cita	You have to organise an appointment
El abogado sólo está por las tardes	The lawyer is only here in the afternoons
La consulta es gratuita para los afiliados	The consultations are free for members
Como no es afiliado la consulta le cuesta 35 €	As a non-member the fee is 35 €
Tiene que traerme una vida laboral	You will have to bring me your employment record
Traiga las 3 últimas nóminas	Bring your last 3 pay slips
¿Tiene contrato?	Do you have a contract?
¿Qué tipo de contrato tiene?	What type of contract do you have?
¿Dónde trabaja?	Where do you work?
¿Cuál es el nombre de la empresa?	What is the name of the company?
¿Cuánto tiempo lleva trabajando?	How long have you worked for them?
¿Hace cuántos días que le han despedido?	How many days ago did they dismiss you?

No firme el finiquito	Don't sign the final payment
¿Tiene testigos?	Were there any witnesses
Pida una vida laboral	Ask for your employment history
Le tienen que pagar indemnización	They have to pay compensation
Le corresponden 15 días de vacaciones	They owe you 15 days of holidays
Las dietas tiene que pagárselas	They have to pay your expenses

Opening a business. You can also find work by opening a business or becoming self-employed. You can find out more information about how you do this at the Chamber of Commerce *(Cámara de Comercio)* in your city and at the council's Employment and Economy Advice Centre *(Consejería de Economía y Empleo)*. If you are a woman or are over 40 years of age special assistance is available. You can find out about this at the Employment Office *(Consejería de Empleo)*.

Words you might need

activity	**actividad**	*aktividad*
bureaucracy	**trámite**	*tramite*
Company register	**Registro mercantil**	*rehistro merkanteel*
income tax	**IRPF (Impuesto sobre la Renta sobre las Personas Físicas)**	*ee-ere-pe-efe*
monthly payments	**cuotas mensuales**	*kwowtas menswales*
self-employed	**autónomo**	*owtonomo*
Social security	**Seguridad Social**	*seguridad sosial*
tax authorities	**Hacienda**	*asee-enda*
Tax on economic activities	**IAE (Impuesto de Actividades Económicas)**	*ee-a-e*
Value added tax	**IVA (Impuesto sobre el Valor Añadido)**	*eeva*

What you say

| I'd like to become self-employed. What papers do I need? | **Quiero hacerme autónomo, ¿qué papeles necesito?** *kee-ero aserme owtonomo, kay papeles neseseeto?* |
| Where can I get advice? | **¿Dónde me pueden asesorar?** *donde me pwayden asesorar?* |

Where are the offices of the tax authorities?	**¿Dónde está la Delegación de Hacienda?** *donde esta la delegasion de asee-enda?*
What should I ask for at the Social Security offices?	**¿Qué debo pedir en la Tesorería de la Seguridad Social?** *kay debo pedeer en la tesoreree-a de la seguridad sosial?*
What is the IAE?	**¿Qué es el IAE?** *kay es el ee-a-e?*

7.4 Education

■ **Education in Spain** is free, and is oblgatory until the age of 16. In addition to the state system there are also private schools and mixed public/private schools, where you have to pay monthly fees. Students from poorer families can apply for financial help from the school or college or from the social services department of the local council. There are various stages to the Spanish educational system, as described here:

• **Nursery education.** This consists of two «cycles» *(ciclo)*; the *1.ᵉʳ ciclo* is from 0 years old to 3 and the *2.º ciclo* is from 3 to 6. Although it is not obligatory, the majority of families send their children to school from the age of 3.

• **Primary education.** Primary education is compulsory. There are three «cycles»: *1.ᵉʳ ciclo* from 6 to 8 years old, *2.º ciclo* from 8 to 10 and *3.ᵉʳ ciclo* from 10 to 12 years old. Classes take place in *colegios* (primary schools).

• **Compulsory secondary education.** This consists of four academic years divided into two «cycles»: *1.ᵉʳ ciclo* from 12 to 14 years old and *2.º ciclo* from 14 to 16 years old. Compulsory education finishes at 16 and students receive their *Graduado en Secundaria* (secondary school certificate), which allows them to follow the following paths: if they don't receive the title referred to, they can attend a Social Guarantee programme *(Programa de Garantía Social)* which includes basic training and professional skills. These courses are given in *institutos* (colleges).

Any adults that do not have this secondary school certificate can obtain one in an adult education centre *(Escuelas de Educación de Adultos)*, which are public sector and free. ■

In **Adult Education Centres** *(Escuelas de Educación de Adultos)* you can receive classes in Spanish, literacy and many other subjects that may be of interest, such as IT or languages. You don't need to provide any papers in order to apply for a course and you don't need to have a residence or work permit.

• **Intermediate professional training.** There are more than 30 possible courses. Students who successfully complete a course receive the title «technician» *(Técnico)*.

• **University entrance exams *(Bachillerato)*.** This course lasts two academic years (from 16 to 18 years old), and has four options: Arts, Natural Sciences and Health; Humanities and Social Sciences and Technology. On completion of this course a student can continue to advanced professional training *(Formación profesional de grado superior)* or go to university *(Estudios universitarios)*.

• **Advanced professional training.** These are courses of variable length and there are more than 40 to choose from. On successful completion of the course, students receive the qualification «Advanced technician» *(Técnico Superior)*.

• **Estudios universitarios**

Words you might need

subject	asignatura	*asignatoora*
classroom	aula/clase	*owla/clase*
introductory language training for immigrants classes	aulas de enlace	*owlas de enlase*
student	alumno/-a	*alumno/-a*
university entrance exams	bachillerato	*bachiyerato*
grant	beca	*beka*
pen	bolígrafo	*boligrafo*
file	carpeta	*karpeta*
Vocational training	ciclo formativo de grado medio	*seeclo formateevo de grado medee-o*
Advanced vocational training	ciclo formativo de grado superior	*seeclo formateevo de grado superee-or*
remedial classes	clase de apoyo	*clase de apoyo*
mixed public/private school	colegio concertado	*kolehee-o konsertado*
special needs colleges	colegio de integración	*kolehee-o de integrasion*
private school	colegio privado	*kolehee-o privado*
state school	colegio público	*kolehee-o publiko*
dining room	comedor	*komedor*
porter's office	conserjería	*konserjeree-a*
porter	conserje	*konserhe*
exercise book	cuaderno	*kwaderno*
tracksuit	chándal	*chandal*
diploma/graduate	diplomatura / diplomado,-a	*diplomatoora/ diplomado,-a*

headmaster/mistress	director,-a	*direktor,-a*
diversification	diversificación	*diversifikasion*
doctorate/doctor	doctorado / doctor,-a	*doktorado/doktor,-a*
junior school	escuela infantil	*eskwela infanteel*
test	evaluación	*evaloo-asion*
exam	exámen	*examen*
expulsion	expulsión	*expulsion*
professional training	Formación profesional	*formasion profesional*
vocational qualifications	garantía social	*garantee-a sosial*
eraser	goma de borrar	*goma de borrar*
registration	inscripción	*inskripsion*
head of studies	jefe de estudios	*hefe de estoodee-os*
voucher/receipt	justificante	*hustifikante*
pencil	lápiz	*lapis*
official record of your family members	libro de familia	*leebro de familee-a*
book	libro	*leebro*
degree/graduate	licenciatura / licenciado/-a	*lisensee-atoora/ lisensee-ado/-a*
enrolment	matrícula	*matrikoola*
rucksack	mochila	*mocheela*
grades	notas	*notas*
adviser	orientado/-a	*oree-entador/-a*
place	plazo	*plaso*
primary	Primaria	*primari-a*
teacher	profesor/-a	*profesor/-a*
support teacher	profesor de apoyo	*profesor de apoyo*
recovery	recuperación	*rekuperasion*
rule	regla	*regla*
punishment	sanción	*sansion*
secretary	secretaría	*sekretaree-a*
secretariat	secretario/-a	*sekretaree-o/-a*
secondary	Secundaria / ESO (Enseñanza Secundaria Obligatoria)	*sekunadri-a/eso*
qualification	título	*titoolo*
tutor	tutor/-a	*tootor/-a*
tutorial	tutoría	*tootoree-a*
universidad	universidad	*ooniversidad*
sports shoes	zapatillas de deporte	*sapateeyas de deporte*

What you say

I'd like to enrol my son/daughter for this school	**Quiero matricular a mi hijo,-a en el colegio / instituto** *kee-ero matrikular a mi eejo,-a en el kolehee-o/institooto*
Are there any places?	**¿Hay plazas?** *eye plasas?*
When do I have to enrol him/her?	**¿Cuándo tengo que hacer la inscripción?** *kwando tengo kay aser la inskripsion?*
What papers do I need to bring for the enrolment?	**¿Qué documentación tengo que traer para hacer la matrícula?** *kay dokoomentasion tengo kay tra-er para aser la matrikoola?*
Is there another school closer to my home?	**¿Hay algún colegio más cerca de mi domicilio?** *eye algun kolehee-o mas serka de mi domisilee-o?*
When do the classes begin?	**¿Cuándo empiezan las clases?** *kwando empee-esan las clases?*
He/she doesn't speak Spanish. Is that a problem?	**No sabe español, ¿hay algún problema?** *no sabe espanyol, eye algun problema?*
My son/daughter uses a wheelchair. Does the school have wheelchair access?	**Mi hijo va en silla de ruedas, ¿tiene fácil acceso?** *mi eeho va en seeya de roo-aydas, tee-ene fasil akseso?*
The school is a long way from our home. Is there a school bus?	**El colegio está lejos de la casa, ¿hay transporte escolar?** *el kolehee-o esta lehos de la kasa, eye transporte eskolar?*
We don't have a residence permit? Can I still enrol him?	**No tiene permiso de residencia, ¿puedo matricularlo?** *no tee-ene permeeso de residensee-a, pwaydo matrikularlo?*
Do you have to pay anything?	**¿Hay que pagar algo?** *eye kay pagar algo?*
Are the books free?	**¿Los libros son gratuitos?** *los leebros son gratoo-eetos?*
Are there any grants?	**¿Hay algún tipo de beca?** *eye algun teepo de beka?*
Is there a dining room in the school?	**¿Comen en el colegio?** *komen en el kolehee-o?*
I'd like to speak to the headmaster/mistress	**Me gustaría hablar con la directora/-a** *me gustaree-a ablar kon la direktor/-a*

I'd like to meet the teacher	**Quiero entrevistarme con el tutor/-a**
	kee-ero entrevistarme kon el tootor/-a
What qualification do they get when they complete the course?	**¿Qué título le dan cuando termine los estudios?**
	kay título le dan kwando termine los estoodee-os?

What you hear

La asistencia es obligatoria	Attendance is compulsory
Las faltas a clase hay que justificarlas	A parent's note is necessary if the child misses class
Tiene que traer el material a clase	The child must bring the books to class
Los libros no los da el colegio	The school does not provide books
Puede pedir beca para libros y comedor	You can apply for a grant for books and food
La puntualidad es importante	Punctuality is important
El colegio se abre a las 9 horas	School opens at 9 o'clock
A los diez minutos de la entrada se cierra	The doors are closed ten minutes after opening
Los alumnos no pueden salir solos del colegio durante el horario escolar, tiene que venir una persona a recogerlo	Children cannot leave the school during the day, unless they are collected by a responsible adult
Puede ver al tutor los jueves a las 12:20	You can meet the teacher on Thursdays at 12:20
La inscripción se entrega en Secretaría	Take the enrolment papers to the secretariat
Tiene que traer el libro de familia	You have to bring the official record of your family members
Secretaría abre de 10 a 13 horas	The secreteriat is open between 10am and 1pm
Traiga el empadronamiento	Bring your registration papers
Tiene que hacer los deberes en casa	Homework must be done at home
Su hijo tiene que ir primero a un aula de enlace	Your son will need to take introductory language training for immigrants classes

7.5 Women's issues

■ **Assistance for women.** If you are a female immigrant, there are special public bodies, like the Women's Institute *(Instituto de la Mujer)* and some private bodies (NGOs and women's associations), that can help you if you have a problem at work for example. The telephone number for the Women's Institute is 900 191 010; it is free and operates 24 hours a day.

Words you might need

abuse	**malos tratos**	*malos tratos*
family planning	**planificación familiar**	*planifikasion familiar*
family resources	**recursos familiares**	*rekursos familee-ares*
legal assistance	**asistencia jurídica**	*asistensee-a huridika*
prostitution	**prostitución**	*prostitoosion*
psychological assistance	**asistencia psicológica**	*asistensee-a sikolohika*
rape	**violación**	*vee-olasion*
sexual abuse	**abusos sexuales**	*aboosos sexuales*
social services	**servicios sociales**	*servisee-os sosiales*
women's association	**asociación de mujeres**	*asosee-asion de mooheres*
women's help centres	**centros de apoyo a la mujer**	*sentros de apoyo a la mooher*
women's rights	**derechos de la mujer**	*derechos de la mooher*

What you say

Where are the social services for this council?	**¿Dónde están los servicios sociales de este ayuntamiento?** *donde estan los servisee-os sosiales de este ayuntamee-ento?*
Is there a social worker here?	**¿Hay aquí alguna asistente social?** *eye akee alguna asistente sosee-al?*
I need help and an interpreter	**Necesito ayuda y un intérprete** *neseseeto ayooda y un interprete*
What services do you provide for women?	**¿Qué servicios están orientados a las mujeres?** *kay servisee-os esta oree-entados a las mooheres?*
What help can you give me?	**¿Qué ayudas me pueden dar?** *kay ayoodas me pwayden dar?*
I am pregnant. How many months of maternity leave am I entitled to?	**Estoy embarazada, ¿a cuántos meses de baja maternal tengo derecho?** *estoy embarasada, a kwantas meses de baha maternal tengo derecho?*
Will I still be paid when I am on maternity leave?	**¿Me siguen pagando si estoy de baja maternal?** *me seegen pagando si estoy de baha maternal?*

■ **Women's health.** The Social Security in Spain offers free gynaecological services. You have to ask for an appointment with a gynaecological specialist or an annual examination from your family doctor. If you have a problem that needs urgent attention you can go to a hospital, where they will see you immediately. If you are pregnant, you receive free medical attention during the pregnancy, birth and post-birth from an obstetrician.

Words you might need

abortion	**aborto**	*aborto*
birth	**parto**	*parto*
birth control	**control de natalidad**	*kontrol de natalidad*
breast scan	**mamografía**	*mamografee-a*
contraceptives	**anticonceptivos**	*antikonseptivos*
cytology	**citología**	*sitolohee-a*
fetus	**feto**	*feto*
gynaecologist	**ginecólogo/-a**	*hinekologo/-a*
midwife	**matrona**	*matrona*
obstetrician	**tocólogo/-a**	*tokologo/-a*
paediatrist	**pediatra**	*pedee-atra*
period	**regla**	*regla*
pregnancy	**embarazo**	*embaraso*
sexually transmitted diseases	**enfermedades de transmisión sexual**	*enfermedades de transmision sexoo-al*
vaginal ecograph	**ecografía vaginal**	*ekografee-a vahinal*

What you say

I need to see a doctor. I have gynaecological problems	**Necesito que me vea un médico, tengo problemas ginecológicos** *neseseeto kayme vay-a un medico, tengo problemas hinecolohicos*
I think I am pregnant. I'd like to see a doctor	**Creo que estoy embarazada, quisiera ir a un médico** *kray-o kay estoy embarasada, kisee-era eer a un mediko*

> **!** **Gynaecologist.** The gynaecologist is a doctor who specialises in the female reproductive system. It is a good idea to have an annual examination, expecially for women over 35 years of age. The Social Security provides free gynaecological services, although you have to apply for an appointment several months in advance.

is the fetus alright?	**¿Está bien el feto?**
	esta bee-en el feto?
What tests do I need to take?	**¿Qué pruebas tengo que hacerme?**
	kay prwebas tengo kay aserme?
When will I give birth?	**¿Cuándo daré a luz?**
	kwando dare a lus?
haven't had my period for three months	**Hace tres meses que no tengo la regla**
	ase tres meses kay no tengo la regla
have had an abortion	**He tenido un aborto**
	ay teneedo un aborto
need to be prescribed contraceptives	**Necesito que me recete algún anticonceptivo**
	neseseeto kay me resete algun antikonsepteevo
I have a lump in my breast	**Tengo un bulto en el pecho**
	tengo un bulto en el pecho

Useful information

Some basic details about Spain

■ **Location.** Spain occupies 85% of the area of the Iberian peninsula, with Portugal occupying the remaining 15% on the West coast. Spain has a border with France in the North (the Pyrinees mountains). The Balearic and Canary Islands are also part of Spanish national territory, as are the cities of Ceuta and Melilla in the North of Africa.

■ **Language.** The official language of Spain is *español* (Spanish), or *castellano* as it is more frequently called. In some areas of the country, in addition to Spanish they also speak a local language (*gallego* in Galicia, *catalán* in Cataluña and *euskera* or *vasco* in the Basque country, etc). Nevertheless, all Spanish people speak Spanish and you will be able to communicate with them in this langauge.

Where there is an official second language in addition to Spanish (Galicia, Cataluña, the Basque country and the Valencia region) all official paperwork is printed in both languages. Education in these areas is also bilingual.

SPAIN

Type of government: constitutional monarchy.
Population: 41.837.894 *(Spanish people)*.
Capital: Madrid (3.016.788 people).
Major cities: Barcelona (1.527.190 people), Valencia (728.924 people), Sevilla (704.114 people), Zaragoza (620.419 people).
Currency: euro (€).
Language: Spanish (official); catalán, gallego, basque and valenciano (joint official languages)
Religion: Catholics (95 %), Muslims (1,2 %), Protestant (0,5 %).

■ **Regional organisation.** Spain is made up of 50 provinces that are organised into 17 Autonomous Regions: Andalucía, Aragón, Principado de Asturias, Islas Baleares, País Vasco, Canarias, Cantabria, Castilla-La Mancha, Castilla y León, Cataluña, Comunidad Valenciana, Extremadura, Galicia, La Rioja, Comunidad de Madrid, Región de Murcia and la Comunidad Foral de Navarra, and the autonomous cities of Ceuta and Melilla.

The national capital is Madrid, which is also the capital of the Madrid Autonomos Region. The second biggest city is Barcelona, which is the capital of Cataluña. The other most important cities are Valencia, capital of the Valen-

Useful information

cia Autonomos Region, Sevilla capital of the Andalucia Autonomos Region, Zaragoza capital of the Aragón Autonomos Region and Bilbao which is the biggest city of the Basque Country Autonomos Region.

■ **Religion.** Spain's 1978 constitution states that it is a secular country. However, for historical and cultural reasons the majority of Spain's population is Catholic, although there are small groups of Protestants, Jews and Muslims.

■ **Public holidays.** There are nine public holidays in Spain. In addition each region has three holidays (the dates vary) and then there are another two local holidays (dates vary in every town or village). Sundays are not official working days, although many shops now open on Sundays.

1st of January	Año nuevo	*anyo nwayvo*
6th of January	Reyes (Día de la Epifanía)	*rayes*
Easter Friday	Viernes Santo	*vee-ernes santo*
1st of May	Día de los trabajadores	*dee-a de los trabahadores*
12th of October	Día de la Hispanidad	*dee-a de la ispanidad*
1st of November	Todos los Santos	*todos los santos*
6th of December	Día de la Constitución	*dee-a de la constitoosion*
8th of December	La Inmaculada	*la inmaculada*
25th of December	Navidad	*navidad*

Traditions. The Catholic religion has always played an important part in Spanish traditions. *Fiestas* are a special part of Spanish culture. They usually begin with a religious ceremony and are then followed by eating, music and dancing. Some of the most important non-religious fiestas are *Las Fallas* in Valencia, the *Feria de Abril* (Spring Fair) in Sevilla and *San Fermín* in Pamplona, whilst *Corpus Christi* in Toledo and Granada and *Semana Santa* (Easter) in Andalucía and cities like Valladolid, Zamora and Cuenca are some of the most important religious ones. Bullfighting is another important Spanish tradition. It is one which divides public opinion, but you will see it on television and in the newspapers during the important *corridas* (bullfights).

Social security. Spain has an established system of retirement pensions and help for illness and maternity, which is supported by payments from companies, the self-employed and workers *(Seguridad Social)*. This system provides support to those most in need with help for the unemployed and by providing health care for the whole population.

Foreigners in Spain: The legal and administrative system

Everything related to the rights and duties of foreigners living in Spain (the papers you need for residence and work permits etc) is contained in the **Ley de Extranjería *(Foreign residents law)*** and the regulations for implementing it. ▉

This law allows foreigners to live in Spain in two situations: on a temporary basis *(residencia temporal)* and on a permanent basis *(residencia permanente)*. You are allowed to work in Spain if you are here legally on either of these bases, however, you must also have a work permit.

▉ TEMPORARY RESIDENCE PERMIT WITHOUT WORKING

The law covers three basic situations:

① **Temporary residence permit *(Autorización de residencia temporal)*.** This permits you to live in Spain for a period between 90 days and 5 years, but you are not permitted to work during this period.
  • *How do I apply?* Before you come to Spain you should request a VISA in person from the Spanish Consulate in the country where you live.

> **! IMPORTANT:**
> If you are related to a Spaniard, which in this context means the wife or husband, a child under 21 years old or a parent, or you are a citizen of another European Union country, then you are covered by European Union legislation, not by the *Ley de Extranjería* (see page 201).

Useful information

This Visa includes the initial authorisation to live in Spain. When you arrive in Spain you have a period of one month to apply in person for a national identity card for foreigners (TARJETA DE IDENTIDAD DE EXTRANJERO).

This gives you the right to live in Spain for one year. You will then have to apply to renew this if you want to continue living in Spain.

- *How do I renew it?* You should apply for the renewal in person 60 days before your original document expires; you can also do it in the three months after it expires, but in this case you may have to pay a fine.

  You will find an explanation of the steps you should take after applying for renewal on page 200 .

- *What papers do I need to take to apply to renew?*
  — The relevant official application form
  — A valid passport or similar document that is recognised in Spain
  — Your valid national identity card for foreigners
  — Documents that show that you have enough money to live on and medical insurance for the period of the renewal.

- *Where should I apply to renew my temporary residence permit?* In your local police station or Foreigners Office.

② **Temporary family reunion residence permit** *(Autorización de residencia temporal por reagrupación familiar)*. This is the residence permit that your family will need if they come to Spain to live with you. The law permits you to bring *(«reagrupar»)* the following family members: your husband or wife (you cannot bring more than one, even if your religion permits you to marry multiple partners), and your, or your husband/wife's, children under 18 years old and parents.

In order to obtain permission to bring your family to Spain you have to meet the following conditions: to have lived legally in Spain for one year, to have renewed your residence permit for at least one further year, to have work and sufficient funds and income to live an adequate life and that you have an appropriate residence.

- *How do I apply?* You have to apply in person using the appropriate official form for the family member or members that you wish to bring into the country.

- *What documents do I need to present with the application form?*
  — Official confirmation of the family relationship
  — A copy of the applicant's passport or other valid travel document or official certificate of registration with an embassy (cédula de inscripción en vigor).
  — A copy of your renewed residence or work permit, or of your original work or residence permit and the receipt showing that you have applied to renew it.

- Proof of employment and/or that you have sufficient funds, including health insurance (if you are not covered by the Social Security system).
- Proof that you have a suitable home.
- In the case of reunification with a wife or husband, a sworn statement of the applicant that he or she is not already living with another wife or husband..

- **Where do I go to apply?** In the *Delegaciones del Gobierno de las Comunidades Autónomas Uniprovinciales* (offices of the regional council) or in the *Subdelegaciones del Gobierno de la provincia* (offices of the provincial council).

- **What happens after the initial application?** The Administration will notify you of its decision. If the application is approved, the applicants have 2 months from the date of approval to request the Visado por reagrupación (family reunion visa).

- **What documents do my family members need to present to apply for this visa?**
  - Their passport or other travel document valid in Spain, with a minimum of 4 months before the expiry date.
  - Certificate of good conduct from the police (in the case of adults).
  - A copy of your residence permit.
  - The original of the document showing your family relationship.
  - A medical certificate showing that they do not suffer from any illness that would require quarantine.

- **Where should they go to apply?** They should apply in person at a Spanish consulate in the country where they live.

- **What should they do after applying?** If the visa application is approved, your family member or members should collect it in person (except for minors, in which case a legal representative may represent them) and enter Spain while the visa is valid, which is never longer than 3 months.

  This visa includes the automatic authorisation of residence for the period of its validity. Once in Spain, your family member/s should apply in person within one month for a Tarjeta de Identidad de Extranjero (Foreigner's national identity card). Your family member's residence permit will have the same expiry date as yours. If you wish to stay in Spain you will have to apply for it be renewed.

- **How do you renew the temporary family reunion residence permit?** As the person who reunited the family, you need to apply for the renewal of your family members' visas when you apply for your own. When you do this, you will have to show that you have sufficient funds and health insurance for you and your family members.

Useful information

You have to apply in person, 60 days before your permit expires, or in the 3 months after it expires, although in the latter case you will have to pay a fine.

You will find a step by step guide to what you should do after applying for renewal of a temporary residence permit on page 200.

- **Where do I apply to renew the temporary family reunion residence permit?** You apply in the same place that you apply to renew your own residence permit:
  - If you hold a temporary residence permit without rights to work, you should apply at the police station (comisaría de policía) or in the local council office dealing with foreigners.
  - If you hold a temporary residence and work permit, then you should apply in the offices of the local council (Delegaciones del Gobierno de las Comunidades Autónomas Uniprovinciales) or the provincial authority (Subdelegaciones del Gobierno de la provincia).

③ **Exceptional temporary residence permit because you are established in Spain (Residencia temporal excepcional por razones de arraigo)** 🛈. This is an exceptional authorisation that may be granted by the state if you are, amongst other things, in one of these situations:

3.1. Established in the job market (arraigo laboral). If you can prove the following:
  - that you have been continuously resident in Spain for a minimum of 2 years,
  - that you do not have a criminal record in Spain or your country of origin,
  - that you have or have had a work relationship for at least 1 year.

3.2. Established socially (arraigo social). If you can prove the following:
  - that you have been continuously resident in Spain for a minimum of 3 years,
  - that you do not have a criminal record in Spain or your country of origin,
  - that you have an employment contract (minimum of one year) signed by yourself and a company,
  - that you have family relationships with Spanish people or with foreigners who are resident in Spain (wife or husband, parents

---

! The Foreign Residents Law (Ley de Extranjería) also covers several other possible situations that could give you the right to temporary residence for exceptional reasons (humanitarian reason, helping the Spanish authorities etc), but in practice these are very difficult to get and very few are approved.

or children), or if you do not have these relationships, that you can produce a positive report by your local council on your integration into society.

3.3. Family ties *(arraigo familiar).* If your mother or father is of Spanish origin.

- ***How do I apply?*** You have to apply in person using the appropriate official form and present the relevant documents. In these cases you do not need to have a residence or work visa.
- ***What documents do I need?***
  — Your passport or other travel document valid in Spain, with a minimum of 4 months before the expiry date.
  — A job contract signed by you and the company for a minimum of one year.
  — A certificate of good conduct from the police in your home country, or the countries where you have lived in the 5 years before arriving in Spain.
  — A report from your local council (in a general case of establishment)
  — A court decision that supports your working relationship or a report by inspectors from the Ministry of Work and Social Security (in the case of being established in a job (arraigo laboral).
  — Proof of the length of time that you have been in Spain
- ***Where do I apply?*** You should apply at the police station (comisaría de policía) or in the local council office dealing with foreigners.
- ***What should I do after applying?*** You will be notified if your application has been approved. If it is approved, you have 1 month from the date of notification to apply for your Tarjeta de Identidad de Extranjero (foreigners id card).

  The approval of temporary residence through establishment includes the authorisation to work and is for a period of one year. 🔲
- ***How do I renew my authorisation?*** You must apply in person 60 days before the expiry date. You can also do it during the 3 months following the expiry date but you may be fined in this case.

  You will find an explanation of what you should do after applying for the renewal of a temporary residence permit on page 200.
- ***What documents do I need to present with my application?***
  — Official application form
  — Job contract or offer of employment.
  — Your previous work or residence permit.
  — A valid passport.

IMPORTANT:
If you are in a situation of *arraigo social*, you need to know that your employer has a period of 1 month to register you with the Social Security for your authorisation to work and residence permit to have effect.

Useful information

- ***Where do I apply to renew my temporary established residence permit?*** At any offices of the *Área Funcional de Trabajo y Asuntos Sociales* of the local council *(Delegaciones del Gobierno de las Comunidades Autonomas Uniprovinciales)* or in the office for foreigners of the provincial council *(Oficinas de Extranjeros de las Subdelegaciones del Gobierno de la provincia)*.

▪ TEMPORARY RESIDENCE AND WORK PERMITS

If you wish to do paid work or earn money as a professional in Spain, then you need to apply for a temporary residence and work permit. There are two basic types of permits, depending on whether you want to work for another person or company *(por cuenta ajena)* or for yourself as a self-employed person *(por cuenta propia)*.

① **Temporary work and residence permits for employees *(Autorización de residencia temporal y trabajo por cuenta ajena)*.** These permits enable foreigners over the age of 16 to work in Spain for a period of up to 5 years. These permits are granted to people who are living outside Spain when they apply.
- ***How do I apply?*** The employee, or the employer who wishes to employ them, has to apply in person or via a legal representative, for an authorisation for a work and residence permit for an employee.
- ***Where do I apply?*** You have to apply at any offices of the *Área Funcional de Trabajo y Asuntos Sociales* of the local council *(Delegaciones del Gobierno de las Comunidades Àutonomas Uniprovinciales)* or in the office for foreigners of the provincial council *(Oficinas de Extranjeros de las Subdelegacioes del Gobierno de la provincia)*.
- ***What documents does the employer or employee need?***
  — The national identity card of the employer (DNI) or the company fiscal identification (CIF).
  — An employment contract or a job offer on an official form.
  — A copy of the passport or valid travel document of the worker.
  — Any other documents that may be requested.

  Either the worker or the employer will be informed if the application has been approved, and at the same time the Spanish consulate in the worker's home country will be informed.
- ***What does the worker have to do?*** The worker has a period of 1 month from the date the application is approved to go in person to the Spanish consulate where they live and apply for a visa (VISADO) to work as an employee in Spain.
- ***What documents does the worker need to apply for the visa?***
  — A passport or valid travel document which is valid for at least 4 months.

- A certificate of good behaviour from the police in their home country or the countries where they have lived during the 5 years before arriving in Spain.
- A medical certificate that shows that they are not suffering from any disease that would require quarantine.
- A copy of the approval of the work and residence application.

- **What should the worker do after applying?** You will be notified when your application is approved. You then have a period of 1 month to collect it in person and a further 2 months in which you can use it to enter Spain. The visa includes the initial authorisation to work and live in Spain.

  Once you are in Spain you can begin to work straight away and register with the Social Security. But, remember that you must apply for a foreigner's identity card (Tarjeta de Identidad de Extranjero) within 1 month. The initial authorisation is valid for one year, at the end of which you have to renew it.

- **How do I renew the authorisation?** You need to apply in person 60 days before your visa expires. You can also do this during the 3 months after it expires but you will have to pay a fine.

  You will find an explanation of the steps you should take after applying for renewal on page 200.

- **Where do I apply to renew my temporary established residence permit?** You have to apply at any offices of the *Área Funcional de Trabajo y Asuntos Sociales* of the local council *(Delegaciones del Gobierno de las Comunidades Autonomas Uniprovinciales)* or in the office for foreigners of the provincial council *(Oficinas de Extranjeros de las Subdelegaciones del Gobierno de la provincia)*.

② **Temporary work and residence permits for the self-employed *(Autorización de residencia temporal y trabajo por cuenta propia)*.** This initial authorisation permits people living outside Spain and who have obtained the necessary visa to live and work for themselves in Spain

- **How do I apply?** You have to apply in person using the appropriate official form and the relevant documents at the Spanish consulate where you live. If your application is approved, you have to apply in person for the appropriate visa (visado). Once you have received this, you can enter Spain and begin your business legally.

> **! IMPORTANT:**
> The initial authorisation *(autorización inicial)* for work and residence only permits you to work in a specific job and in a specific part of the country. However, your renewed authorisation after 1 year *(autorización renovada)* allows you to work in any job anywhere in Spain.

Useful information

You have a period of 1 month from your arrival in Spain to apply for a foreigner's identity card (TARJETA DE IDENTIDAD DE EXTRANJERO). The initial authorisation is valid for one year, at the end of which you have to renew it.

- *How do I renew my authorisation?* You must apply in person 60 days before the expiry date. You can also do it during the 3 months following the expiry date but you may be fined in this case.

▦ RENEWAL OF TEMPORARY RESIDENCE PERMITS

The process for renewing temporary residence permits is similar in time periods *(plazos)* and procedures *(procedimientos)* for both those that include work permits and those that are for residence only; the only differences are in the documents that you need and the place that you apply.

- **Time periods.** Remember to apply for renewal in the 60 days before your permit expires. You can do it in the 3 months after it expires but you will have to pay a fine.

- **Procedures.** Your application must be processed within 3 months. Once it has been processed, whether positively or negatively, they must inform you of the decision.

  If the decision is positive, you have a period of 1 month from the date of notification to apply for your TARJETA DE IDENTIDAD DE EXTRANJERO (foreigners identity card). The renewed residence permit will be valid for 2 years, unless you have become eligible for a permanent one (by becoming established in Spain in some way, or similar).

  Once this 2 year period has passed, you will have to renew your residence permit again. The time periods and requirements are the same as for the first renewal. This second renewal is again for a period of 2 years. However, at the end of this further 2 year period you will be eligible for permanent residency *(residencia permanente)*.

▦ PERMANENT RESIDENCY

Permanent residency allows a foreigner to live and work in Spain with exactly the same conditions as a Spanish citizen.

> **VERY IMPORTANT:**
> If your application has not been processed within the 3 month limit, then it is understood that it has been approved. In this case:
> 1st. You must confirm this by going in person to the place where you applied and ask for a certificate (CERTIFICADO) that says your application has been approved by «positive administrative silence» *(silencio administrativo positivo)*.
> 2nd. You should use this certificate to apply for your foreigner's identity card (TARJETA DE IDENTIDAD DE EXTRANJERO).

- ***How do I apply?*** When you can demonstrate that you have lived in Spain for a period of 5 years or that you are in one of the situations described in the official regulations (eg. that you have a disability pension etc).

  If your application is approved, you have a period of 1 month to apply for your foreigner's identity card. This card is permanently valid, although you still have to renew it every 5 years.
- ***How do I renew my authorisation?*** You must apply in person 60 days before the expiry date. You can also do it during the 3 months following the expiry date but you may be fined in this case.

■ RELATIVES OF SPANIARDS OR EUROPEAN UNION CITIZENS

If you are related to a Spaniard or to a member of another European Union country you can obtain a relative of a spanish or other european citizen card (TARJETA DE FAMILIAR DE ESPAÑOL O RESIDENTE COMUNITARIO), which authorises you to live in Spain for a period of 5 years.

  You can renew this card at the end of this period, if your family situation has not changed in the meantime. Only husbands and wives are permitted to work with this card. Children over 16 who wish to work, and those over 21 who are not registered as students, must apply for a work permit under the same conditions as any other non-European Union citizen.

■ OBTAINING SPANISH NATIONALITY BY RESIDENCY

Foreign citizens can apply for Spanish nationality after living in Spain for a definite period, which is normally 10 years. There are some exceptions, such as for example political exiles (5 years), citizens of Latin American countries, Andorra, the Philippines, Equatorial Guinea, Portugal and Sephardic Jews (2 years), etc.

  The paperwork for obtaining Spanish nationality is done in Spain, by taking the necessary documents to the Ministry of Justice.

■ PROCESSING OF APPLICATIONS

The official application forms are all free, and you can reproduce them by any means, including photocopies. It is forbidden to sell them. You can get them directly from the internet on the webpage of the Ministry of the Interior (www.mir.es), the Ministry of Work and Social Services (www.mtas.es) and Public Administration (www.igsap.es). ❚

 You don't have to pay anything to anybody to resolve your situation. You can do all the paperwork yourself. If you need any help you can get information direct from the bodies that you are applying to or go to an association that specialises in immigration and can advise you for free about what you need to do.

Useful information

Two Ministeries are responsible for work and residence permits: the Ministry of the Interior and the Ministry of Work and Social Services. Both Ministries have specialised sections which you should ask directly about the documents and the requirements for obtaining or renewing the permit you are interested in.

You can complete all these steps in any provincial capital. You can find the relevant address by asking a compatriot who has successfully completed their paperwork, go to an NGO that specialises in immigration, consult the white pages telephone directory or the Ministry of the Interior website (www.mir.es). This table shows you the relevant organisation for each case:

PUBLIC BODY	DEPARTMENT	DOCUMENTATION
Ministry of the Interior	Brigadas provinciales de Extranjeros y Documentación / Comisarías locales (Provincial Brigades for Foreigners and Documentation/Local Police Stations)	• Temporary Residence Permit • Permanent Residence Permit • Application for residence by established residents
	Jefatura Superior de Policía y Documentación (Higher Executive Police and Documentation)	• European Community Citizens • Permission to Return (Autorización de Regreso)
	Offices of the Regional Council / Subdelegations of the Provincial Government	• Family Reunifications
Ministry of Work and Social Services	Functional Areas of Work and Social Affairs of the Offices of the Regional Council / Subdelegations of the Provincial Government	• Residence and Work Permits • Work Permits for Established Residents • Modifications and Renewals of Work Permits

■ SOME IMPORTANT RECOMMENDATIONS

- **Register** with your local district council (*Junta Municipal*). This will allow you to use the public health services, and will help you to prove how long you have been in Spain (residence by being established).

- **Always be aware of the time periods** for renewing your papers and so avoid the possibility of your papers expiring and you being in an illegal situation.
- **Form links with immigrant's associations and trade unions** so that you are always aware of your rights.
- **Get free information** from organisations and unions before going to a lawyer.
- **Ask for a «Permission to return»** *(«Autorización de Regreso»)* when you want to leave Spain, as long as you have requested renewal or a change to your card and still have the expired card. If you leave without authorisation, you may have problems when you try to return.
- **Don't stay outside Spain for more than 6 months,** as you will automatically lose you temporary residence and/or work permit.
- **Don't stay outside Spain for more than 12 consecutive months or more than 30 months in 5 years,** as you will lose your right to permanent residence.

Useful addresses

▪ EMBASSIES AND CONSULATES IN SPAIN

- **AUSTRALIA**
  Embassy
  🖰 www.spain.embassy.gov.au
  ➔ Plaza Descubridor Diego de Ordás, 3
  28003 Madrid
  ☎ 913 536 600

  Consulate
  Barcelona
  ➔ Gran Vía Carlos III, 98
  08028 Barcelona
  ☎ 933 309 496

  Sevilla
  🖰 www.spain.embassy.gov.au
  ➔ Federico Rubio, 14
  41004 Sevilla
  ☎ 954 220 971

- **CANADA**
  Embassy
  🖰 www.canada-es.org
  ➔ Nuñez de Balboa 35
  28001 Madrid
  ☎ 914 233 250

  Consulate
  Barcelona
  🖰 www.canada-es.org
  ➔ Elisenda de Pinos, 10
  08034 Barcelona
  ☎ 932 042 700

- **CAMEROON**
  Embassy
  ➔ Rosario Pino, 3
  28071 Madrid
  ☎ 915 711 160

Useful information

- **EQUATORIAL GUINEA**
  Embassy
  → Claudio Coello, 91, 5.º
    28006 Madrid
  ☎ 917 810 472
    Fax : 915 782 263

  Consulate
  Las Palmas
  → Jose Miranda Guerra, 12
    35005 Las Palmas de Gran
    Canaria
    Las Palmas
  ☎ 928 244 592

- **GHANA**
  Embassy
  → Capitán Haya, 38, 10.º A
    28020 Madrid
  ☎ 915 670 440 / 390
    Fax : 915 670 393

  Consulate
  Barcelona
  → Casp, 61
    08010 Barcelona
  ☎ 932 653 796

- **ICELAND**
  Consulate
  Madrid
  → Peguerinos, 5, Ciudad Puerta
    de Hierro
    Madrid
  ☎ 913 731 506
    Fax: 913 739 265

  Barcelona
  → Cerdena 229-237, Sobreático
    Tercera
    Barcelona
  ☎ 932 325 810
    Fax: 932 465 535

Valencia
→ Pl. Porta de la Mar, 4
  46004 Valencia
☎ 963 517 275

- **INDIA**
  Embassy
  ☞ www.embajadaindia.com
  → Pío XII, 30-32
    28016 Madrid
  ☎ 902 901 010 / 911 315 100

  Consulate
  Barcelona
  → Teodor Roviralta, 21
    08022 Barcelona
  ☎ 932 120 916

- **INDONESIA**
  Embassy
  ☞ www.embajadaindonesia.es
  → Agastia, 65
    28043 Madrid
  ☎ 914 130 294

- **IRELAND**
  Embassy
  ☞ embajada.irlanda@ran.es
  → Ireland House
    Paseo de la Castellana 46, 4
    28046 Madrid
  ☎ 91 436 4093
    Fax: 91 435 1677

  Consulate
  Barcelona
  → Gran Via Carlos III, 94
    08028 Barcelona
  ☎ 934 519 021

  Sevilla
  → Pl. Santa Cruz, 6
    41004 Sevilla
  ☎ 954 216 361

- **MALTA**
  Embassy
  → Paseo de la Castellana 45, 6.ª plta.
  28046 Madrid
  ☎ 913 913 061
  Fax: 913 913 066

  Consulate
  Barcelona
  → Tuset 32
  08006 Barcelona
  ☎ 934 160 562

- **NEW ZEALAND**
  Embassy
  ☞ www.nzembassy.com
  → Plza. de la Lealtad 2, 3.º
  28014 Madrid
  ☎ 915 230 226
  Fax: 915 230 171

  Consulate
  Barcelona
  → Travesera de Gracia, 64
  08006 Barcelona
  ☎ 932 090 399

- **NIGERIA**
  Embassy
  → Segre, 23
  28071 Madrid
  ☎ 915 630 911

- **PAKISTAN**
  Embassy
  → Av. Pío XII, 2
  28071 Madrid
  ☎ 913 458 986

- **THE PHILIPPINES**
  Embassy
  → Eresma 2
  28002 Madrid
  ☎ 917 823 830

- **SOUTH AFRICA**
  Embassy
  ☞ www.sudafrica.com
  → Claudio Coello 91, 6.º
  28006 Madrid
  ☎ 914 356 688
  Fax : 915 777 414

- **SOUTH KOREA**
  Embassy
  → González Amigó, 15
  28033 Madrid
  ☎ 913 532 001

- **THAILAND**
  Embassy
  → Joaquín Costa, 29
  28002 Madrid
  ☎ 915 632 903 / 637 959
  Fax: 915 640 033

  Consulate
  Barcelona
  → Av. Diagonal, 339
  08037 Barcelona
  ☎ 934 581 461

- **UNITED KINGDOM**
  Embassy
  ☞ www.ukinspain.com
  → Fernando el Santo, 16
  28010 Madrid
  ☎ 913 190 200

  Consulate
  Madrid
  ☞ www.ukinspain.com
  → Marques de la Ensenada 16, 2
  28004 Madrid
  ☎ 932 802 227

Useful information

Barcelona
→ Edificio Torre de Barcelona
Avenida Diagonal 477, 13
08036 Barcelona
☎ 933 666 200
Fax: 934 052 411

Málaga
→ Edificio Duquesa
Duquesa de Parcent, 8
28001 Málaga
☎ 952 217 571 / 212 325

Palma
→ Plaza Mayor, 3D
07002 Palma de Mallorca
Islas Baleares
☎ 971 712 445 / 712 085

- **UNITED STATES**
  Embassy
  ☞ www.embusa.es
  → Serrano, 75
  28006 Madrid
  ☎ 915 872 200

  Consulate
  Barcelona
  ☞ www.embusa.es
  → Paseo Reina Elisenda de
  Montcada, 23
  08034 Barcelona
  ☎ 932 802 227

- **ZAIRE**
  → Av Doctor Arce, 7
  28071 Madrid
  ☎ 915 618 274

You can find the address and telephone number of your Embassy or Consulate listed in the Yellow Pages *(Páginas Amarillas)*, or on-line at www.paginasamarillas.es and www.embajada-online.com

▮ NGOs AND OTHER BODIES THAT WORK WITH IMMIGRANTS

- **Alto Comisionado de las
  Naciones Unidas para los
  Refugiados (ACNUR)**
  *United Nations High
  Commission for Refugees
  (UNHCR)*
  ☞ www.acnur.org
  → Cedaceros, 9
  28014 Madrid
  ☎ 91 369 06 70

- **Asociación Norte Joven**
  Young North Association
  → Avda. Cardenal Herrera Oria,
  78-bis
  28034 Madrid
  ☎ 91 372 15 06

- **Asociación de Solidaridad con
  Trabajadores Inmigrantes (ASTI)**
  *Solidarity with Immigrant
  Workers Association*
  ☞ www.asti-madrid.com

  Madrid
  → Cava Alta, 25, 3.º izd.
  28015 Madrid
  ☎ 91 365 65 18

  → Avda. Complutense, 8
  28805 Alcalá de Henares
  (Madrid)
  ☎ 91 888 53 26

  → Hospital San José, 4
  28901 Getafe (Madrid)
  ☎ 91 681 51 11

- **Caritas**
Charity
☞ www.caritas.es

Barcelona
➔ Avda.de la Vera, 5
   08002 Barcelona
☎ 93 278 70 10

Cáceres
➔ Avda. de la Vera,1 - 1.º
   10600 Plasencia (Cáceres)
☎ 927 41 15 53

Gerona
➔ Pujada dels Alemanys, 4
   17004 Gerona
☎ 972 41 04 16

Granada
➔ Rosa Chacel, 1, bajo
   18500 Guadix (Granada)
☎ 958 66 21 23

Ibiza
➔ Felipe II, 16, bajo
   07800 Ibiza
☎ 971 31 17 62 / 19 23 93

Lérida
➔ Urgell, 1
   25300 Tárrega (Lérida)
☎ 973 31 25 01

Madrid
➔ San Bernardo, 99 bis, 7.º
   28015 Madrid
☎ 91 444 13 31

➔ Plaza del Beso, 5
   28091 Getafe (Madrid)
☎ 91 695 03 48

Murcia
➔ Burrueso s/n-bajo
   30001 Murcia
☎ 968 28 73 13 / 968 28 73 14

Palma de Mallorca
➔ Seminario, 4
   07001 Palma de Mallorca
☎ 971 71 62 88

Salamanca
➔ Monroy, 2-4
   37002 Salamanca
☎ 923 26 96 98 / 923 26 98 19

Santa Cruz de Tenerife
➔ 18 julio, 23-entlo.izda
   38004 Santa Cruz de Tenerife
☎ 922 27 72 12

- **Colegio de Abogados de Madrid**
Madrid Lawyers' Association
☞ www.icam.es
➔ Serrano, 9 y 11
   28001 Madrid
☎ 91 435 78 10

- **Colegio de Abogados de Zaragoza**
Zaragoza Lawyers' Association
☞ www.reicaz.es

➔ Don Jaime I, 18
   50001 Zaragoza
☎ 976 204 220

- **Comisión Española de Ayuda al Refugiado (CEAR)**
Spanish Commission for Helping Refugees
☞ www.cear.es

Useful information

Ceuta
→ Carretera del Jaral s/n
51003 Ceuta
☎ 956 52 23 48

Melilla
→ Ejército Español, 14-1.ºdcha.
29801 Melilla
☎ 952 68 11 72

Madrid
→ Avda. General Perón, 32
28020 Madrid
☎ 91 555 06 98

● Comité de Defensa de los
Refugiados Asilados e
Inmigrantes en España
(COMRADE)
*Committee for the Defense of
Refugees and Immigrants in
Spain*
→ Rodríguez San Pedro, 2 -
despacho 708
29015 Madrid
☎ 91 446 46 08

→ San Bernardo, 51 - bajo izda.
28015 Madrid
☎ 91 521 24 74

● Federación de Asociaciones de
Mujeres Concepción Arenal
*Concepción Arenal Federation of
Women's Associations*
→ Velázquez, 78
28001 Madrid
☎ 91 435 06 29

→ Martínez Izquierdo, 80 bajo.
Local 3
28028 Madrid
☎ 91 355 54 53

● Federación de Asociaciones
Proinmigrantes (RED ACOGE)
*Federation of Pro-Immigrant
Associations*
☞ www.acoge.org

Albacete
→ Cruz Norte, 2
02001 Albacete
☎ 967 21 54 10

Alicante
→ Águila, 35 - 3.ª planta
03006 Alicante
☎ 965 11 52 85

→ Travesía de San Joaquín, 2
03203 Elche (Alicante)
☎ 965 42 61 72

→ Plaza de San Francisco, 1
03300 Orihuela (Alicante)
☎ 966 74 57 31

Burgos
→ Avenida Castilla y León, 34-
bajo
09006 Burgos
☎ 947 23 23 03

Córdoba
→ Conde de Gondomar, 11-7.ª
planta-4
14001 Córdoba
☎ 957 47 89 29

→ Los Maristas, 2 bajo
14900 Lucena (Córdoba)
☎ 957 51 66 08

Logroño
→ La Brava, 16 bajo
26001 Logroño
☎ 941 26 31 15

Madrid
→ Isla Saipan, 35 - Centro San Rafael.
28035 Madrid
☎ 91 316 69 72

→ López de Hoyos, 15, 3.º D
28006 Madrid
☎ 91 563 37 79

Murcia
→ Real, 52, 1.º D
30201 Cartagena (Murcia)
☎ 968 50 53 01

→ Mar Menor, 11, 1.º
30360 La Unión (Murcia)
☎ 968 54 03 66

→ Ana Romero, 2
30800 Lorca (Murcia)
☎ 968 47 32 72

→ Arquitecto Emilio Pérez Piñero, 1, 1.º F
30007 Murcia
☎ 968 24 81 21

→ Cartagena, 6
30700 Torre Pacheco (Murcia)
☎ 968 58 53 52

→ Honduras, 2
30850 Totana (Murcia)
☎ 968 42 54 43

Santander
→ Monte Caloca, s/n
39008 Santander
☎ 942 36 44 45

Valencia
→ San Juan Bosco, 10
46019 Valencia
☎ 96 366 01 68

• **Federación de Asociaciones Proinmigrantes Extranjeros en Andalucía (ANDALUCÍA ACOGE)**
Federation of Pro-Immigrant Associations in Andalucia

Almería
→ Padre Luque, 11 2.ª
04001 Almería
☎ 950 27 15 75

Cádiz
→ Vicario, 16
11001 Jerez de la Frontera (Cádiz)
☎ 956 32 19 08

Granada
→ Agua de Cartuja, 51
18012 Granada
☎ 958 20 08 36

Jaén
→ Adarves Bajos, 9, 1.º
23001 Jaén
☎ 953 24 24 02

Málaga
→ Bustamante, s/n
29007 Málaga
☎ 952 39 32 00

Sevilla
→ Cristo de la Expiración
41001 Sevilla
☎ 954 90 29 60

• **Federación de Mujeres Progresistas**
Progressive Women's Federation
→ Ribera de Curtidores, 3
28012 Madrid
☎ 91 539 63 13

Useful information

- **Fundación RAIS**
  RAIS Foundation
  → Jordán 8
  28010 Madrid
  ☎ 91 593 13 70

- **Grups de Recerca y Actuació amb minories culturals i treballadors estrangers**
  Research and Action with Cultural Minorities and Foreign Workers Group
  → Plaza Lluis Companys, 12
  17003 Girona
  ☎ 972 21 96 00

- **Madrid Puerta Abierta**
  Open Door Madrid
  → Cedros, 82 bajo-dcha.
  Madrid
  ☎ 91 315 23 45

- **Médicos del Mundo**
  Doctors of the World
  ✍ www.medicosdelmundo.org
  → Juan Montalvo 6.
  28040 Madrid
  ☎ 91 315 60 94

- **Paideia**
  → Tirso de Molina, 13 , 4.º izqda.
  Madrid
  ☎ 91 429 51 32
  @ asocpaideia@ctv.es

- **Sindicato de Trabajadores Comisiones Obreras (CC OO)**
  Workers' Union
  ✍ www.ccoo.es

Barcelona
→ Vía Laietana, 16
08003 Barcelona
☎ 93 481 27 00

Cáceres
→ General Yagüe, 2
10001 Cáceres
☎ 927 21 07 37

Las Palmas de Gran Canaria
→ Avenida de Mayo, 21, 5.º
35002 Las Palmas de Gran Canaria
☎ 928 44 75 54

Logroño
→ Avenida Pío XII, 10
26003 Logroño
☎ 941 26 39 12

Madrid
→ Fernández de la Hoz, 12-5.º
(Área de Migraciones)
28010 Madrid
☎ 91 702 80 50

→ Lope de Vega, 38
28014 Madrid
☎ 91 536 53 97

Murcia
→ Corbalán, 4
30002 Murcia
☎ 968 35 52 11

Palma de Mallorca
→ Francesç de Borja i Moll, 3
07003 Palma de Mallorca
☎ 971 72 60 60

Sevilla
→ Trajano, 1, 3.º
41002 Sevilla
☎ 954 22 29 94

Toledo
→ Carlos V, 12, 3.º
45001 Toledo
☎ 925 25 51 00

Vigo
→ Hernán Cortés, 26, 1
36003 Vigo
☎ 986 43 47 60

Valencia
→ Plaza de Nápoles i Sicilia, 5
46003 Valencia
☎ 963 88 21 00

Zaragoza
→ Paseo de la Constitución, 12
bajo
50700 Zaragoza
☎ 976 23 91 85

- **SOS Racismo**
  SOS Racism
  www.nodo50.org/
  sosracismo.madrid
  → Campomanes, 13, 2.º izqda.
  Madrid
  ☎ 91 559 29 06

- **Unión General de Trabajadores (UGT)**
  General Workers' Union

Barcelona
→ Rambla Santa Mónica, 10
08002 Barcelona
☎ 93 304 68 42

Madrid
→ Hortaleza, 87
28004 Madrid
☎ 91 589 77 24

→ Maldonado, 53
28006 Madrid
☎ 91 745 45 30

Málaga
→ Alemania, 19
29001 Málaga
☎ 95 222 10 30

Murcia
→ Santa Teresa, 10
30005 Murcia
☎ 968 28 47 12

Valencia
→ Arquitecto Mora, 7 bajo
46010 Valencia
☎ 963 88 41 52

- **Unión Sindical Obrera Confederación (USOC)**
  Confederation of Trade Unions

Madrid
→ Plaza Santa Bárbara, 5, 6.º
28015 Madrid
☎ 91 308 25 86

Murcia
→ Alameda de Capuchinos, 19
entresuelo
Murcia
☎ 968 25 01 20

Sevilla
→ Doña María Coronel, 34
41003 Sevilla
☎ 95 429 30 17

Essential dictionary

A

a lot mucho/-a *[mucho/-a]*

above arriba *[arreeba]*

absent ausente *[owsente]*

accent acento *[asento]*

accept aceptar *[aseptar]*

accident accidente *[acsidente]*

accompany acompañar *[akompanyar]*

account/bill cuenta *[kwenta]*

accustomed to acostumbrado/-a *[akostumbrado/-a]*

acid ácido/-a *[aseedo]*

add sumar *[sumar]*

address dirección *[direccion]*

admit admitir *[admitir]*

advance avanzar *[avansar]*

advertisement anuncio *[anunsee-o]*

advice consejo *[konseho]*

afternoon tarde (parte del día) *[tarde]*

age edad *[edad]*

agency agencia *[ahensee-a]*

air aire *[aire]*

aisle pasillo *[paseeyo]*

alarm alarma *[alarma]*

alarm clock despertador *[despertador]*

alcohol alcohol *[alko-ol]*

all todo/-a *[todo/-a]*

alphabet alfabeto *[alfabeto]*

also además *[ademas]*

altar altar *[altar]*

always siempre *[see-empre]*

ambulance ambulancia *[ambulansee-a]*

analgesic analgésico *[analheesiko]*

anchor zarpar *[sarpar]*

angry enfadado/-a *[enfadado/-a]*

animal animal *[animal]*

ankle tobillo *[tobeeyo]*

annoyance molestia *[molestee-a]*

answer contestación *[kontestasion]*

ant hormiga *[ormeega]*

antenna antena *[antena]*

antique dealer anticuario *[anticwaree-o]*

anxious ansioso/-a *[ansee-oso]*

applaud aplaudir *[aplaudeer]*

appointment cita (negocio) *[seeta]*

approximately aproximadamente *[aproximadamente]*

arch arco *[arko]*

arm brazo *[braso]*

army ejército *[eherseeto]*

around alrededor *[alrededor]*

arrival llegada *[yegada]*

arrive llegar *[yegar]*

art arte *[arte]*

artificial artificial *[artifisial]*

artist artista *[artista]*

ashamed avergonzado/-a *[avergonado/-a]*

ashtray cenicero *[senisero]*

ask for pedir *[pedeer]*

aspirin aspirina *[aspireena]*

assistant dependiente *[dependee-ente]*

attend asistir *[asisteer]*

aunt tía *[tee-a]*

authority autoridad *[owtoridad]*

available disponible *[disponeeble]*

avenue avenida *[aveneeda]*

avoid evitar *[evitar]*

awake despierto *[despee-erto]*

B

back espalda *[espalda]*

Essential Dictionary

bad mal *[mal]*

bad malo/-a *[malo/-a]*

bag bolsa / bolso *[balsa] / [bolso]*

balcony balcón *[balkon]*

ball pelota *[pelota]*

bandage vendaje *[vendahe]*

bank banco (entidad bancaria) *[banko]*

bath bañera *[banyera]*

bathe bañarse *[banyarse]*

bathroom cuarto de baño *[kwarto de banyo]*

battery batería / pila *[bateree-a] / [peela]*

battle batalla *[bataya]*

bay bahía *[baee-a]*

be estar *[estar]*

be ser *[ser]*

be born nacer *[naser]*

be called llamar(se) *[yamar(se)]*

beach playa *[playa]*

bear oso *[oso]*

beard barba *[barba]*

beautiful precioso/-a *[presee-oso/-a]*

bed cama *[kama]*

bedroom dormitorio *[dormitoree-o]*

bedspread colcha *[kolcha]*

bee abeja *[abeha]*

beer cerveza *[servesa]*

before antes *[antes]*

beggar mendigo *[mendeego]*

begin comenzar, empezar *[komensar], [empesar]*

behind atrás / detrás *[atras] / [detras]*

believe creer *[kre-er]*

bell campana *[kampana]*

belong to pertenecer *[perteneser]*

below debajo *[dabaho]*

belt cinturón *[sinturon]*

bench banco (asiento) *[banko]*

bend curva *[kurva]*

benefit beneficio *[benefisee-o]*

beret gorra *[gorra]*

bet apostar *[apostar]*

better mejor *[mehor]*

bicycle bicicleta *[bisicleta]*

bidet bidé *[beede]*

big grande *[grande]*

bigger mayor *[mayor]*

bird pájaro *[paharo]*

pigeon paloma *[paloma]*

birthday cumpleaños *[kumpleanyos]*

bite mordisco *[mordisko]*

bite/sting picadura *[pikadoora]*

bitter amargo/-a *[amargo/-a]*

black negro/-a *[negro/-a]*

blame culpa *[kulpa]*

blanket manta *[manta]*

bleach lejía *[lehee-a]*

blind ciego/-a *[see-ego]*

blinds persiana *[persee-ana]*

blonde rubio/-a *[roobee-o/-a]*

blood sangre *[sangre]*

blouse blusa *[bloosa]*

blow golpe *[golpe]*

board embarcarse *[embarkarse]*

body cuerpo *[kwerpa]*

bomb bomba *[bomba]*

bone hueso *[weso]*

book libro / libreta *[leebro] / [libreta]*

book shop librería *[libreree-a]*

booth cabina (teléfono) *[kabeena (telefono)]*

bother molestar *[molestar]*

bored aburrido/-a *[aburreedo/-a]*

boss jefe *[hefe]*

bottle botella *[boteya]*

bottom fondo / culo *[fondo] / [koolo]*
box caja *[kaha]*
boy muchacho, chico *[muchacho] / [chiko]*
boyfriend novio *[novee-o]*
bra sostén / sujetador *[sosten] / [suhetador]*
bracelet pulsera *[pulsera]*
brain cerebro *[serebro]*
brake freno *[freno]*
brand marca *[marka]*
brave valiente *[valee-ente]*
bread pan *[pan]*
bread shop panadería *[panaderee-a]*
break romper(se) *[romper{se}]*
breakdown avería *[averee-a]*
breakfast desayuno *[desayoono]*
breakwater rompeolas *[rompe-olas]*
breathe respirar *[respirar]*
breathing respiración *[respirasion]*
bridge puente *[pwente]*
briefcase maletín *[maleteen]*
bring traer *[tra-er]*
broken roto/-a *[roto/-a]*
brooch broche *[broche]*
brush escoba *[eskoba]*
building edificio *[edifisee-o]*
bulb bombilla *[bombeeya]*
bunk bed litera *[litera]*
burial entierro *[entee-ero]*
burn quemar *[kaymar]*
burn quemadura *[kaymadoora]*
bus autobús *[owtobus]*
business negocio *[negosee-o]*
but pero *[pero]*
butcher's shop carnicería *[karniseree-a]*
butterfly mariposa *[mariposa]*

buttock nalga, glúteo *[nalga], [glaote-o]*
button botón *[boton]*
buttonhole ojal *[ohal]*
buy comprar *[komprar]*

C

cabin camarote *[kamarote]*
cable cable *[kable]*
café cafetería *[kafeteree-a]*
cake shop pastelería *[pasteleree-a]*
calculator calculadora *[kalkuladora]*
calendar calendario *[kalendaree-o]*
call llamar por teléfono (telefonear) *[yamar por telefono]*
camp acampar *[okampar]*
can bote *[bote]*
can opener abrelatas *[abrelatas]*
canal canal *[kanal]*
candle vela *[vela]*
cap gorro *[gorra]*
capital capital *[kapital]*
car coche *[koche]*
car park aparcamiento *[aparkamee-ento]*
care for cuidar *[kweedar]*
carry llevar *[yevar]*
case cartera (maletín) *[kartera]*
castle castillo *[kasteeyo]*
cat gato *[gato]*
catalogue catálogo *[katalogo]*
cathedral catedral *[katedral]*
catholic católico/-a *[katolika]*
ceiling tejado, techo *[tehado]; [techo]*
cemetery cementerio *[sementeree-o]*

Essential Dictionary

century siglo *[siglo]*
chair silla *[seeya]*
change cambiar *[kambee-ar]*
change cambio, vuelta (dinero) *[kambee-o], [vwelta]*
chapel capilla *[kapeeya]*
chat charlar *[charlar]*
cheap barato/-a *[barato/-a]*
cheek mejilla *[meheeya]*
cheese queso *[kayso]*
Chemist's farmacia *[farmasee-a]*
chest pecho *[pecho]*
chestnut castaño/-a (árbol) *[kastanyo]*
chewing gum chicle *[cheecle]*
china/dishes vajilla *[vaheeya]*
choice elección *[elecsion]*
choose elegir, escoger *[eleheer], [eskoher]*
Christian cristiano *[kristee-ano]*
Christmas Eve nochebuena *[nochebwena]*
church iglesia *[iglesee-a]*
circle círculo *[sirkoolo]*
city ciudad *[siudad]*
clash choque *[chokay]*
clean limpio/-a *[limpee-o/-a]*
clean limpiar *[limpee-ar]*
close próximo/-a *[proximo]*
close cerrar(se) *[serrar(se)]*
cloth tela *[tela]*
clothes ropa *[ropa]*
cloud nube *[noobe]*
cloudy nublado/-a *[nooblado/-a]*
coal carbón *[karbon]*
coast costa *[kosta]*
coat hanger percha *[percha]*
cockroach cucaracha *[kukaracha]*
coffee café *[kafe]*
coffee pot cafetera *[kafetera]*
coin moneda *[moneda]*
cold catarro, resfriado; frío *[katarro], [resfree-ado]; [free-o]*

collect recoger *[rekoher]*
college colegio *[kolehee-o]*
colourless incoloro *[inkoloro]*
comb peine *[payne]*
comfortable cómodo/-a *[komodo/-a]*
comfortableness comodidad *[komodidad]*
comic cómico/-a *[komiko/-a]*
common común *[komoon]*
company compañía *[kompanyee-a]*
compass brújula *[broohula]*
compensation indemnización *[indemnisasion]*
complain reclamar *[reclamar]*
complicated complicado/-a *[komplikado/-a]*
concert concierto *[konsee-erto]*
concierge portero/-a *[portero/-a]*
condemn condenar *[kondenar]*
condition condición *[kondision]*
condom condón, preservativo *[kondon, preservateevo]*
conference conferencia *[konferensee-a]*
confused confuso/-a *[konfooso/-a]*
congress congreso *[kongreso]*
constipation estreñimiento *[estrenyimee-ento]*
consul cónsul *[konsul]*
contact lenses lentes de contacto *[lentes de kontakto]*
contagious contagioso/-a *[kontahioso/-a]*
content contento/-a *[kontento/-a]*
continue continuar *[kontinuar]*
conversation conversación *[konversasion]*
cord cuerda *[kwerda]*

English-Spanish

cork corcho *[korcho]*
corkscrew sacacorchos *[sakakorchos]*
corner esquina *[eskeena]*
cost gasto *[gasto]*
cost costar *[kostar]*
costume costumbre *[kostumbre]*
cotton algodón *[algodon]*
cough tos *[tos]*
count contar *[kontar]*
counter mostrador *[mostrador]*
country país *[pa-ees]*
country dweller campesino/-a *[kampeseeno/-a]*
country/field campo *[kampo]*
couple pareja *[pareha]*
cousin primo/-a *[preemo/-a]*
cover tapa *[tapa]*
cow vaca *[vaka]*
crank manivela *[manivela]*
cream crema *[krema]*
crib cuna *[koona]*
cross cruz *[krus]*
cross cruzar *[krusar]*
crossroads cruce *[kruse]*
cry llorar *[yorar]*
culture cultura *[kultoora]*
cup taza *[tasa]*
cure curar *[kurar]*
curl rizo *[ree-so]*
curtain cortina *[korteena]*
cut cortar *[kortar]*

D

damage daño *[danyo]*
dance baile, danza *[baile]*, *[dansa]*
dance bailar *[bailar]*
danger peligro *[peligro]*

dark moreno/-a; oscuro/-a *[moreno/-a]*; *[oskooro/-a]*
date cita (romántica) *[seeta]*
daughter hija *[eeha]*
dawn amanecer *[amaneser]*
day día *[dee-a]*
dead muerto/-a *[mwerto]*
deaf sordo/-a *[sordo/-a]*
debt deuda *[deyooda]*
deceive engañar *[enganyar]*
deception engaño *[enganyo]*
decide decidir *[desideer]*
decision decisión *[desision]*
declare declarar *[declarar]*
deep hondo/-a, profundo/-a *[ondo/-a]*, *[profundo/-a]*
delay atrasar *[atrasar]*
deliver entregar *[entregar]*
democracy democracia *[demokrasee-a]*
describe describir *[deskribeer]*
desire deseo, ganas *[dese-o]*, *[ganas]*
desire desear *[dese-ar]*
dessert desierto *[desee-erto]*
detail detalle *[detaye]*
detain detenerse *[detenerse]*
detained detenido/-a *[deteneedo/-a]*
develop revelar (fotografías) *[revelar]*
diarrhoea diarrea *[dee-are-a]*
diary diario *[dee-aree-o]*
die morir *[moreer]*
dictionary diccionario *[dicsionaree-o]*
diet régimen *[rehimen]*
difference diferencia *[diferensee-a]*
different (from) distinto/-a (de) *[distinto/-a]*
dificult difícil *[difisil]*
dining room comedor *[komedor]*

Essential Dictionary

dinner cena *[sena]*
dine cenar *[senar]*
direct dirigir *[diriheer]*
director director *[direktor]*
dirty sucio/-a *[soosee-o]*
disagreeable desagradable *[desagradable]*
discount descuento *[deskwento]*
disk disco *[disko]*
displease disgustar *[disgustar]*
district distrito *[distrito]*
diversion diversión *[diversion]*
divide dividir *[divideer]*
divorce divorcio *[divorsee-o]*
dizzy mareado/-a *[mare-ado/-a]*
do hacer *[aser]*
doctor doctor/-a, médico/-a *[doktor/-a], [mediko/-a]*
document documento *[dokoomento]*
dog perro *[perro]*
doll muñeco/-a (juguete) *[munyeko/-a]*
domestic appliance electrodoméstico *[elektrodomestiko]*
door puerta *[pwerta]*
door-to-door selling venta ambulante *[venta ambulante]*
doorway portal *[portal]*
double doble *[doble]*
down abajo *[abaho]*
drain desagüe *[desagway]*
draw dibujar *[dibuhar]*
drawer cajón *[kahon]*
dress vestido *[vesteedo]*
drink beber *[beber]*
drive conducir *[kondooseer]*
drop gota *[gota]*
drown ahogarse *[a-ogarse]*
drug droga *[droga]*
drunk borracho/-a *[borracho/-a]*

dry seco/-a *[seko/-a]*
dry secar(se) *[sekar(se)]*
dust polvo (suciedad) *[polvo]*
duvet edredón *[edredon]*
dye teñir *[tenyeer]*

E

ear oído; oreja *[o-eedo]; [oreha]*
earings pendientes *[pendee-entes]*
early temprano *[temprano]*
eat comer *[komer]*
earth tierra *[tee-erra]*
east este *[este]*
easy fácil *[faseel]*
education educacion *[edookasion]*
elbow codo *[kodo]*
electricity electricidad *[elektrisidad]*
embassy embajada *[embahada]*
emergency urgencias *[urhensee-as]*
emotion emoción *[emosion]*
employee empleado/-a *[emplea-do/-a]*
employment empleo *[empleo]*
empty vacío *[vasee-o]*
end fin *[fin]*
enemy enemigo/-a *[enemeego/-a]*
energy energía *[enerhee-a]*
enjoy (oneself) disfrutar; divertir(se) *[disfrootar]; [divertir(se)]*
enough bastante *[bastante]*
entertaining divertido/-a *[divertido/-a]*
entire entero/-a *[entero/-a]*
equal igual *[igwal]*

error error *[error]*

evening dress traje de noche
[trahe de noche]

exact exacto/-a *[exakto/-a]*

exam examen *[examen]*

example ejemplo *[ehemplo]*

excellent excelente *[exselente]*

except excepto *[exsepto]*

excursion excursión *[exkursion]*

excuse excusa *[exkoosa]*

exercise ejercicio *[ehersisee-o]*

exhibition exposición
[exposision]

expensive caro/-a *[karo/-a]*

explain explicar *[explikar]*

eye ojo *[oho]*

eye brow ceja *[seha]*

eye lash pestaña *[pestanya]*

F

face cara *[kara]*

factory fábrica *[fabrika]*

faint desmayo *[desmayo]*

faint desmayarse
[desmayarse]

fall caer(se) *[ka-erse]*

false falso/-a *[falso/-a]*

family familia *[familee-a]*

fan aficionado/-a *[afisee-onado/-a]*

fan ventilador *[ventilador]*

far lejos *[lehos]*

fashion moda *[moda]*

fat gordo/-a *[gordo/-a]*

father padre *[padre]*

father in-law suegro *[swegro]*

fear miedo *[mee-edo]*

feel sentir *[senteer]*

fever fiebre *[fee-ebre]*

few poco/-a *[poko/-a]*

fill llenar *[yenar]*

film película; carrete (fotos)
[pelikoola]; [karrete]

find out enterarse *[enterarse]*

fine multa *[multa]*

finger dedo (mano) *[dedo]*

finish acabar, terminar
[akabar], [terminar]

fire fuego; incendio *[fwaygo];
[insendee-o]*

fireman bombero *[bombero]*

first-aid kit botiquín *[botikeen]*

fish pescado, pez *[peskado],
[pes]*

fish pescar *[peskar]*

fish shop pescadería
[peskaderee-a]

fishing pesca *[peska]*

flame llama (fuego) *[yama]*

flat apartamento, piso; liso/-a
[apartamento], [peeso]; [leeso/-a]

flight huida; vuelo *[oo-eeda];
[vwaylo]*

flood inundación *[inundasion]*

floor planta (piso); suelo
[planta]; [swaylo]

flower flor *[flor]*

flu gripe *[greepe]*

fly mosca *[moska]*

fly volar *[volar]*

fog niebla *[nee-ebla]*

follow perseguir; seguir
[persegeer]; [segeer]

food alimento, comida
[alimento], [komeeda]

foot pie *[pee-e]*

football fútbol *[futbol]*

for para *[para]*

forbidden prohibido
[pro-ibeedo]

forearm antebrazo *[antebraso]*

forehead frente (parte de la cara)
[frente]

Essential Dictionary

foreigner extranjero/-a
[extranhero/-a]
forget olvidar [olvidar]
forgive perdonar [perdonar]
fork tenedor [tenedor]
form forma [forma]
fortunately afortunadamente
[afortoonadamente]
forward adelante [adelante]
fountain fuente [fwente]
frame montura (gafas)
[montura]
fraud estafa [estafa]
free libre [leebre]
frequent frecuente [frekwente]
friend amigo/-a [ameego/-a]
friendly amable [amable]
frontier frontera [frontera]
frozen congelado/-a
[konhelado/-a]
fruit fruta [froota]
frying pan sartén [sarten]
function función [funsion]
funny gracioso/-a [grasee-oso/-a]
future futuro [futooro]

G

gallery galería [galeree-a]
game caza; juego [kasa];
[hwego]
garden jardín [hardeen]
gas gas [gas]
generous generoso/-a
[heneroso/-a]
genitals genitales [henitales]
gentleman caballero [kabayero]
get coger; conseguir [koher];
[konsegeer]
get better, recover curarse
[kurarse]

get dark anochecer; atardecer
[anocheser]; [atardeser]
get drunk emborracharse
[emborracharse]
get fat engordar [engordar]
get late tardar [tardar]
get married casarse [kasarse]
get up levantarse [levantarse]
get up early madrugar
[madrugar]
get washed lavar(se) [lavar(se)]
geography geografía [hay-
ografee-a]
girl muchacha, chica
[muchacha] / [chika]
girlfriend novia [nobee-a]
give dar [dar]
glass copa, vaso [kopa], [vaso]
glasses gafas [gafas]
glove guante [gwante]
go ir [eer]
go out salir [saleer]
go to bed acostarse [akostarse]
go up subir [subeer]
god dios [dee-os]
good bueno/-a [bweno]
good-looking guapo/-a
[gwapo/-a]
government gobierno
[gobee-erno]
grandfather abuelo [abwaylo]
grandmother abuela [abwayla]
granddaughter nieta [nee-eta]
grandson nieto [nee-eto]
grass hierba [ee-erba]
grease engrasar [engrasar]
greet saludar [saludar]
greeting saludo [saloodo]
grocer´s frutería [frooteree-a]
gross grosero/-a [grosero/-a]
group grupo [groopo]
guaranteed garantizado/-a
[garantisado/-a]

guard guardia; vigilante *[gwardee-a]; [vihilante]*
guitar guitarra *[gitarra]*
guts tripas *[treepas]*
gymnasium gimnasio *[himnasee-o]*

H

hail granizar *[granisar]*
hail stones granizo *[graneeso]*
hair cabello, pelo *[kabeya], [pelo]*
hair dryer secador de pelo *[sekador de pelo]*
hair style peinado *[paynado]*
hairbrush cepillo (pelo) *[sepeeyo]*
half mitad *[mitad]*
hammer martillo *[marteeyo]*
hand mano *[mano]*
handkerchief pañuelo *[panwelo]*
handrail barandilla *[barandeeya]*
hangover resaca (alcohol) *[resaka]*
happy alegre, feliz *[alegre], [felees]*
hard duro/-a *[dooro/-a]*
hat sombrero *[sombrero]*
hate odiar *[odee-ar]*
have haber; tener *[aber]; [tener]*
have a cold estar resfriado *[estar resfreado]*
have breakfast desayunar *[desayoonar]*
he él *[el]*
head cabeza *[kabesa]*
health salud *[salud]*
hear oír *[o-eer]*

heart corazón *[korason]*
heat calor *[kalor]*
heat calentar *[kalendar]*
heating calefacción *[kalefacsion]*
heavy pesado/-a *[pesado/-a]*
heel tacón *[takon]*
height altura *[altura]*
helicopter helicóptero *[elikoptero]*
help ayuda *[ayooda]*
help ayudar *[ayoodar]*
here aquí *[akee]*
hero héroe *[ero-e]*
hip cadera *[kadera]*
history historia *[istaree-a]*
hit golpear *[golpear]*
hole agujero *[agoohero]*
holidays vacaciones *[vakasee-ones]*
home domicilio *[domisilee-o]*
honoured honrado/-a *[onrado/-a]*
hope esperanza *[esperansa]*
hope esperar *[esperar]*
horse caballo *[kabayo]*
hospital hospital *[aspital]*
hospitality hospitalidad *[ospitalidad]*
hosting hospedaje *[ospedahe]*
hot caliente *[kalee-ente]*
hour hora *[ora]*
house casa *[kasa]*
housing development urbanización *[urbanisasion]*
how much cuánto *[kwanto]*
how cómo *[komo]*
human humano/-a *[oomano/-a]*
humid húmedo *[oomedo]*
hunger hambre *[ambre]*
hurricane huracán *[urakan]*
hurt doler *[doler]*

Essential Dictionary

I yo *[yo]*
ice hielo *[ee-elo]*
idea idea *[ide-a]*
identification identificación *[identifikasion]*
idiot idiota *[idee-ota]*
if si *[see]*
ill enfermo/-a *[enfermo/-a]*
illegal ilegal *[ilegal]*
illness enfermedad *[enfermedad]*
imagination imaginación *[imaginasion]*
imitation imitación *[imitasion]*
immigration inmigración *[inmigrasion]*
important importante *[importante]*
improve mejorar *[mehorar]*
in en *[en]*
in front delante *[delante]*
in front of enfrente *[enfrente]*
incident incidente *[insidente]*
included incluido/-a *[incloo-eeda]*
incomplete incompleto/-a *[inkompleto/-a]*
independence independencia *[independensee-a]*
indicate indicar *[indikar]*
indigestion indigestión *[indihestion]*
individual individuo *[individwo]*
information office oficina de información *[ofiseena de informasion]*
inhabitant habitante *[abitante]*
inheritance herencia *[erensee-a]*
injection inyección *[inyecsion]*
injury herida *[ereeda]*

ink tinta *[tinta]*
innocent inocente *[inosente]*
insect bicho *[beecha]*
insect insecto *[insekto]*
inside dentro *[dentro]*
inspect inspeccionar *[inspecsionar]*
inspector inspector/-a; revisor *[inspektor/-a]; [revisor]*
institute instituto *[institooto]*
insure asegurar *[asegurar]*
intellectual intelectual *[intelektu-al]*
intelligent inteligente *[intelihente]*
intense intenso/-a *[intenso/-a]*
interchange transbordador *[transbordador]*
interpreter intérprete *[interprete]*
interpret interpretar *[interpretar]*
interval entreacto *[entre-akto]*
interview entrevista *[entrevista]*
intestines tripa *[treepa]*
invalidity invalidez *[invalides]*
inventory inventario *[inventaree-o]*
investigate investigar *[investigar]*
iodine yodo *[yodo]*
iron hierro; plancha (de ropa) *[ee-erro]; [plancha]*
iron planchar *[planchar]*
irritate irritar *[irritar]*
island isla *[eesla]*

jacket chaqueta *[chaketa]*
jersey jersey *[hersey]*

jewel joya *[hoya]*
joke broma *[broma]*
judge juez *[wes]*
judge juzgar *[husgar]*
jump saltar *[saltar]*
jungle selva *[selva]*
just justo/-a *[husto/-a]*
justice justicia *[hustisee-a]*
juvenile juvenil *[hooveneel]*

keep guardar *[gwardar]*
key llave *[yave]*
kidney riñón *[rinyon]*
kill asesinar, matar *[asesinar]*,
[matar]
kilo kilo *[keelo]*
king rey *[ray]*
kiss beso *[beso]*
kitchen cocina *[koseena]*
knee rodilla *[rodeeya]*
knickers bragas *[bragas]*
knife cuchillo *[kucheeya]*
know conocer, saber *[konoser]*,
[saber]

label etiqueta *[etiketa]*
lake lago *[lago]*
lament lamentar *[lamentar]*
lamp lámpara *[lampara]*
land aterrizar *[aterrisar]*
language idioma *[idee-oma]*
lantern linterna *[linterna]*
last último/-a *[ultimo/-a]*
last night anoche *[anoche]*
late tarde (adv.) *[tarde]*

laugh risa *[ree-sa]*
last durar *[doorar]*
launderette lavandería
[lavanderee-a]
law ley *[lay]*
lawyer abogado *[abogado]*
laxative laxante *[laxante]*
leaf hoja (papel) *[oha]*
laugh reír *[ray-eer]*
learn aprender *[aprender]*
leave abandonar, dejar
[abandonar], *[dehar]*
left izquierdo/-a; zurdo/-a
[iskee-erdo]; *[surdo/-a]*
left luggage consigna
[konseenya]
leg pierna *[pee-erna]*
legend leyenda *[layenda]*
less menos *[menos]*
lesson lección *[lecsion]*
letter carta (escrito) *[karta]*
level nivel *[nivel]*
liberty libertad *[libertad]*
library biblioteca *[biblee-oteka]*
licence licencia *[lisensee-a]*
licence carné *[karne]*
lid tapa *[tapa]*
lie mentira *[menteera]*
lie mentir *[menteer]*
life jacket salvavidas
[salvaveedas]
lift ascensor *[assensor]*
light ligero/-a; luz *[lihero/-a]*; *[lus]*
light encender *[escender]*
lighter encendedor, mechero
[ensendedor], *[mechero]*
lightning relámpago *[relampago]*
like gustar *[gustar]*
limit límite *[limite]*
lingerie lencería *[lenseree-a]*
lip labio *[labee-o]*
liquor licor *[likor]*
list lista *[lista]*

Essential Dictionary

listen escuchar *[eskoochar]*
little poco/-a; poco (adv.) *[poko/-a]; [poko]*
live vivir *[viveer]*
liver hígado *[igado]*
lizard lagarto *[lagarto]*
lobster langosta *[langosta]*
lock cerradura *[serradura]*
locomotive locomotora *[lokomotora]*
lodging alojamiento *[alohamee-ento]*
long largo/-a *[largo/-a]*
long jacket chaquetón *[chaketon]*
look mirar *[mirar]*
look for buscar *[buskar]*
lorry camión *[kamee-on]*
lose perder *[perder]*
lost perdido/-a *[perdeedo/-a]*
love amor *[amor]*
love amar, querer *[amar], [kerer]*
low bajo/-a *[baho/-a]*
luck suerte *[swerte]*
lung pulmón *[pulmon]*
luxurious lujoso/-a *[loohoso/-a]*

M

mad loco/-a *[loko/-a]*
magazine revista *[revista]*
magnificent magnífico/-a *[magnifiko/-a]*
majority mayoría *[mayoree-a]*
make/do hacer *[aser]*
make a mistake equivocar *[ekivokar]*
man hombre *[ombre]*
manners educación *[edookasion]*
map mapa, plano *[mapa], [plano]*

marble mármol *[marmol]*
mare yegua *[yegwa]*
market mercado *[merkado]*
married casado/-a *[kasado/-a]*
mass misa *[meesa]*
massage masaje *[masahe]*
match cerilla *[sereeya]*
material material *[materee-al]*
mattress colchón *[kolchon]*
mausoleum mausoleo *[mowsole-o]*
meanwhile mientras *[mee-entras]*
measure medida *[medeeda]*
meat carne *[karne]*
medicine medicina *[mediseena]*
meet encontrar *[enkontrar]*
meeting encuentro *[enkwentro]*
member miembro (parte de un grupo) *[mee-embro]*
mend arreglar *[arreglar]*
menu carta (restaurante) *[karta]*
mess up estropear *[estrope-ar]*
message mensaje *[mensahe]*
message recado *[rekado]*
metal metal *[metal]*
mid-morning snack merienda *[meree-enda]*
milk leche *[leche]*
minute minuto *[minooto]*
mirror espejo *[espeho]*
misfortune desgracia *[desgrase-a]*
miss echar de menos *[echar de menos]*
mixed mezclado/-a *[mesclado/-a]*
moist mojado/-a *[mohado/-a]*
moment momento *[momento]*
money dinero *[dinero]*
money divisa *[diveesa]*
monument monumento *[monoomento]*

moon luna *[loona]*
mop fregona *[fregona]*
more más *[mas]*
morning mañana (parte del día) *[manyana]*
mosaic mosaico *[mosay-iko]*
mosque mezquita *[meskeeta]*
mosquito mosquito *[moskeeto]*
mother madre *[madre]*
mother in law suegra *[swegra]*
motor motor *[motor]*
motorbike moto *[moto]*
motorway autopista *[owtopista]*
mountain montaña, monte *[montanya]*, *[monte]*
mourning luto *[looto]*
mouse ratón *[raton]*
moustache bigote *[bigote]*
mouth boca *[boka]*
move mover *[mover]*
murder homicidio *[omisidee-o]*
muscle músculo *[muskulo]*
music música (arte) *[moosika]*
musician músico/-a (profesión) *[moosiko/-a]*
my mío/-a,-os,-as *[mee-o/-a,-os,-as]*

N

nail uña *[oonya]*
naked desnudo/-a (adj.) *[desnoodo/-a]*
name nombre *[nombre]*
napkin servilleta *[serveeyeta]*
nation nación *[nasion]*
nationality nacionalidad *[nasionalidad]*
near cercano/-a *[serkano/-a]*

necessary necesario *[nesesaree-o]*
necessity necesidad *[nesesidad]*
neck cuello *[kway-o]*
necklace collar *[koyar]*
needle aguja; alfiler *[agooha]*; *[alfiler]*
neighbourhood barrio *[barree-o]*
nerve nervio *[nervee-o]*
nervous nervioso/-a *[nervee-oso/-a]*
net curtain visillo *[viseeyo]*
never jamás, nunca *[hamas]*, *[nunka]*
new nuevo/-a *[nwevo/-a]*
New Year´s Eve Nochevieja *[nochevee-eha]*
news noticia *[notisee-a]*
newspaper periódico *[peree-odiko]*
next siguiente *[sigee-ente]*
nice simpático/-a *[simpatiko/-a]*
night noche *[noche]*
no no *[no]*
nobody nadie *[nadee-e]*
noise ruido *[roo-eeda]*
noisy ruidoso/-a *[roo-eedoso/-a]*
none ninguno/-a *[ningoono/-a]*
normal normal *[normal]*
north norte *[norte]*
nose nariz *[naris]*
notebook cuaderno *[kwaderno]*
nothing nada *[nada]*
novel novela *[novela]*
now ahora *[a-ora]*
nudist nudista *[noodista]*
number número *[noomero]*
nurse enfermero/-a *[enfermero/-a]*

Essential Dictionary

O

oasis oasis *[o-asis]*
object objeto *[obheto]*
obligatory obligatorio/-a *[obligatoree-o/-a]*
observatory observatorio *[observatoree-o]*
obtain obtener *[obtener]*
occasion ocasión *[okasión]*
occupied ocupado/-a *[okupado/-a]*
ocean océano *[ose-ano]*
office oficina *[ofiseena]*
official papers documentación, papeles *[dokoomentasion], [papeles]*
oil petróleo *[petrolee-o]*
ointment pomada *[pomada]*
old anciano/-a; antiguo/-a; viejo/-a *[ansee-ano/-a;] [antigwo/-a]; [vee-eho/-a]*
on top of encima (de) *[enseema (de)]*
one alguno/-a *[algoona/-a]*
open abierto *[abee-erto]*
open abrir *[abreer]*
opera ópera *[opera]*
operating theatre quirófano *[kirofano]*
opposite opuesto/-a *[opwesto/-a]*
opticians óptica (tienda) *[optika]*
or o *[o]*
orange naranja *[naranha]*
orchestra orquesta *[orkesta]*
orchid orquídea *[orkide-a]*
order mandar *[mandar]*
organ órgano (parte del cuerpo) *[organo]*
other otro/-a *[otro/-a]*
our nuestro/-a, -os, -as *[nwestro/-a, -os, -as]*

outskirts afueras *[afweras]*
oven horno *[orno]*
overcoat abrigo; gabardina *[abreego]; [gabardeena]*
overturn volcar *[volkar]*
owe deber *[deber]*
owner dueño/-a, propietario/-a *[dwaynyo], [propee-etario/-a]*
oxygen oxígeno *[oxiheno]*

P

packet paquete *[pakete]*
packing embalaje *[embalahe]*
page página *[pahina]*
pain dolor *[dolor]*
painful doloroso/-a *[doloroso/-a]*
paint pintar *[pintar]*
painting cuadro, pintura *[kwadro], [pintoora]*
palace palacio *[palasee-o]*
pale pálido/-a *[palido/-a]*
palm (tree) palmera *[palmera]*
paper papel *[papel]*
park parque *[parkay]*
park aparcar *[aparkar]*
partition tabique *[tabeekay]*
party fiesta *[fee-esta]*
passage pasaje *[pasahe]*
passport pasaporte *[pasaporte]*
patience paciencia *[pasee-ensee-a]*
patient paciente *[pasee-ente]*
patrol patrulla *[patrooya]*
pavement acera *[asera]*
pavillion pabellón *[pabeyon]*
pay pagar *[pagar]*
peace paz *[pas]*
peak cima *[seema]*
pedestrian peatón *[pe-aton]*

English-Spanish

pelvis pelvis *[pelvis]*
pen bolígrafo *[boleegrafo]*
pencil lápiz *[lapis]*
pendant colgante *[kolgante]*
peninsula península *[peninsula]*
pension pensión *[pension]*
people gente *[hente]*
perfect perfecto/-a *[perfekto/-a]*
permit permitir *[permiteer]*
permission permiso *[permeeso]*
person persona *[persona]*
person who charges money
cobrador *[kobrador]*
petroleum petróleo *[petrolee-o]*
photography fotografía
[fotografee-a]
piece of furniture mueble
[mweble]
pier muela *[mwela]*
pig/pork cerdo *[serdo]*
pill pastilla, píldora *[pasteeya]*,
[pildora]
pillow almohada *[almo-ada]*
pilot piloto *[pilota]*
pinch pinchazo *[pinchaso]*
pinch pinchar(se) *[pinchar(se)]*
pipes tubería *[tooberee-a]*
pistol pistola *[pistola]*
place lugar; plaza *[loogar]; [plasa]*
plate plato *[plato]*
play obra de teatro *[obra de
te-atro]*
play jugar *[hoogar]*
pleasant agradable *[agradable]*
pleased encantado/-a
[enkantado/-a]
plug enchufe *[enchoofe]*
pocket bolsillo *[bolseeyo]*
poison veneno *[veneno]*
pole palo *[palo]*
police policía *[polisee-a]*
police station comisaría
[komisaree-a]

poor pobre *[pobre]*
portrait retrato *[retrato]*
post box buzón *[booson]*
postman cartero/-a (profesión)
[kartero/-a]
postpone aplazar *[aplasar]*
prayer oración *[orasion]*
prefer preferir *[prefereer]*
present regalo *[regalo]*
previous anterior *[anteree-ar]*
price precio *[presee-o]*
priest cura, sacerdote *[koora]*,
[saserdote]
prison cárcel *[karsel]*
prize premio *[premee-o]*
problem problema *[problema]*
profession profesión *[profesion]*
pronounce pronunciar
[pronunsee-ar]
protection protección
[protecsion]
proud orgulloso/-a *[orguyoso]*
province provincia
[provinsee-a]
punish castigar *[kastigar]*
pupil/student alumno/-a
[alumno/-a]
pure puro/-a *[pooro/-a]*
push empujar *[empuhar]*
put meter; poner(se) *[meter]*;
[poner(se)]
pyjamas pijama *[pihama]*

Q

quality calidad *[kalidad]*
quantity cantidad *[kantidad]*
queen reina *[rayna]*
question pregunta *[pregunta]*
queue cola (fila) *[kola]*
quiet tranquilo/-a *[trankeelo/-a]*

Essential Dictionary

R

race raza *[rasa]*
radio radio *[radee-o]*
rain lluvia *[yoovee-a]*
rain llover *[yover]*
rainy lluvioso/-a *[yoovee-osa]*
rapid rápido/-a *[rapido/-a]*
rare raro/-a *[raro/-a]*
rat rata *[rata]*
ray rayo *[rayo]*
reach alcanzar *[alkansar]*
read leer *[le-er]*
reason razón *[rason]*
receipt recibo *[reseebo]*
receive recibir *[resibeer]*
recipe receta *[reseta]*
redhead pelirrojo/-a *[pelirroho/-a]*
reduce bajar *[bahar]*
reduction rebaja *[rebaha]*
refuge refugio *[refoohee-o]*
refuse rechazar *[rechasar]*
registration number matrícula *[matreekula]*
regulations reglamento *[reglamento]*
reimburse reembolso *[re-embolsa]*
religion religión *[relihee-on]*
religious religioso/-a *[relihee-osa]*
remain permanecer *[permaneser]*
remember recordar *[rekorder]*
reminder recuerdo *[recwerdo]*
remove quitar(se) *[kitar(se)]*
rent alquiler *[alkiler]*
rent alquilar *[alkilar]*
repeat repetir *[repeteer]*
reply respuesta *[respwesta]*
reply responder *[responder]*
report denunciar *[denunsee-ar]*

reporter reportero/-a *[reportero/-a]*
representative representante *[representante]*
request obsequio *[obsekee-o]*
reserve reservar *[reservar]*
reservoir pantano *[pantano]*
resident residente *[residente]*
resolve resolver *[resolver]*
responsibility responsabilidad *[responsabilidad]*
responsible for encargado/-a (adj.) *[enkargado/-a]*
rest descansar *[deskansar]*
result resultado *[resultado]*
return vuelta *[vwelta]*
return volver *[volver]*
rice arroz *[arros]*
rich rico *[reeko]*
riding montura (caballo) *[montura]*
right derecho; derecho/-a *[derecho]; [derecho/-a]*
ring anillo, sortija *[aneeyo], [sorteeha]*
river río *[ree-o]*
road carretera *[karretera]*
road sign señal (circulación) *[senyal]*
robbery atraco, robo *[atrako], [robo]*
rock roca *[roka]*
roll carrete (fotos) *[karrete]*
roof tejado, techo *[tehado], [techo]*
room habitación *[abitasion]*
rough áspero/-a *[aspero/-a]*
route ruta *[roota]*
rubbish basura *[basoora]*
rucksack mochila *[mocheela]*
rug alfombra *[alfombra]*
ruin ruina *[roo-eena]*
run correr *[korer]*
rural rural *[rooral]*

S

sad triste *[triste]*
safety seguridad *[seguridad]*
sail navegar *[navegar]*
salary salario *[sweldo]*
sales venta *[venta]*
sand arena *[arena]*
sanitary towel compresa *[kompresa]*
save salvar *[salvar]*
say decir *[deseer]*
say goodbye despedir *[despedeer]*
scar cicatriz *[sikatris]*
scare asustar *[asustar]*
scarce escaso/-a *[eskaso/-a]*
scarf bufanda *[boofanda]*
scene escena *[essena]*
school escuela *[eskwela]*
science ciencia *[see-ensee-a]*
scissors tijeras *[tiheras]*
scratch rasguño *[rasgoonyo]*
scream chillar *[chiyar]*
screw tornillo *[torneeyo]*
sea mar *[mar]*
seat asiento *[asee-ento]*
seating area patio de butacas *[patio de butakas]*
see ver *[ver]*
seem parecer *[pareser]*
self-service autoservicio *[owtoservisio]*
sell vender *[vender]*
seller vendedor/-a *[vendedor/-a]*
send enviar *[envee-ar]*
serve servir *[serveer]*
service servicio (hotel o restaurante) *[servisee-o]*
session sesión *[sesion]*
set of teeth dentadura *[dentadura]*

sew coser *[koser]*
sex sexo *[sexo]*
shadow sombra *[sombra]*
shade sombra *[sombra]*
shampoo champú *[champoo]*
shave afeitarse *[afaytarse]*
she ella *[ella]*
sheep oveja *[oveha]*
sheet sábana *[sabana]*
shirt camisa *[kameesa]*
shock amortiguador *[amortigwador]*
shoe zapato *[sapato]*
shop tienda *[tee-enda]*
shop window escaparate *[eskaparate]*
shot disparo *[disparo]*
shoulder hombro *[ombro]*
shout grito *[greeta]*
show espectáculo *[espektakoolo]*
shower ducha *[doocha]*
shy tímido/-a *[timido/-a]*
sign letrero *[letrero]*
sign firmar *[firmar]*
silence silencio *[silensee-o]*
silly tonto/-a *[tonto/-a]*
similar semejante *[semehante]*
simple sencillo/-a *[senseeyo/-a]*
sincere sincero *[sinsero]*
sing cantar *[kantar]*
singer cantante *[kantante]*
single soltero/-a *[soltero/-a]*
sit down sentarse *[sentarse]*
skirt falda *[falda]*
sky cielo *[see-elo]*
skyscraper rascacielos *[raskasee-elos]*
sleep dormir *[dormeer]*
sleeping bag saco de dormir *[sako de dormeer]*
sleeve manga *[manga]*
slip resbalar *[resbalar]*
slippers zapatilla *[sapateeya]*

Essential Dictionary

slippery resbaladizo *[resbaladiso]*

slot llanura *[yanura]*

slow despacio; lento/-a *[despasee-o]; [lento/-a]*

small pequeño/-a *[pekaynyo]*

smaller menor *[menor]*

smell olfato *[olfato]*

smell oler *[oler]*

smile sonrisa *[sonreesa]*

smoke fumar *[foomar]*

smooth suave *[swave]*

snack tapa (comida) *[tapa]*

snake culebra, serpiente *[kulebra], [serpee-ente]*

snow nieve *[nee-eve]*

snow nevar *[nevar]*

soap jabón *[habon]*

sock calcetín *[kalseteen]*

soft blando/-a *[blando/-a]*

soft drink refresco *[refreska]*

solid sólido *[solido]*

someone alguien *[algee-en]*

something algo *[algo]*

son hijo *[eeho]*

song canción *[kansion]*

soon pronto *[pronto]*

sound sonido *[soneedo]*

sound sonar *[sonar]*

soup sopa *[sopa]*

source fuente *[fwente]*

South sur *[sur]*

South American hispanoamericano *[ispano amerikano]*

space espacio *[espasee-o]*

speak hablar *[ablar]*

special especial *[espesee-al]*

speciality especialidad *[espesee-alidad]*

speed velocidad *[velosidad]*

spend gastar *[gastar]*

spider araña *[aranya]*

spine/bone espina *[espeena]*

spoon cuchara *[kuchara]*

spring manantial; muelle *[manantee-al]; [mweye]*

stain mancha *[mancha]*

stain remover quitamanchas *[kitamanchas]*

stairs escalera *[eskalera]*

stamp sello *[seyo]*

star estrella *[estreya]*

station estación *[estasion]*

stationery shop papelería *[papeleree-a]*

statue estatua *[estatwa]*

steam humo; vapor *[oomo]; [vapor]*

steering wheel volante *[volante]*

step trámite *[tramite]*

stiff tieso/-a *[tee-eso/-a]*

stomach estómago *[estomago]*

stone piedra *[pee-edra]*

stop parar *[parar]*

storm tempestad *[tempestad]*

strange extraño/-a *[extranyo/-a]*

street calle *[kaye]*

strength fuerza *[fwersa]*

strike huelga *[welga]*

stroll pasear *[pase-ar]*

strong fuerte *[fwerte]*

student estudiante *[estoodee-ante]*

study estudiar *[estoodee-ar]*

stupid estúpido/-a *[estoopido]*

submerge sumergir *[sumerheer]*

suburb suburbio *[suburbee-o]*

success éxito *[éxito]*

suicide suicidio *[soo-isidee-o]*

suit traje *[trahe]*

suitcase maleta *[maleta]*

sun sol *[sol]*

sun tan lotion bronceador *[bronseador]*

supermarket supermercado *[soopermerkado]*

surname apellido *[apeyeedo]*

sweat sudor *[soodor]*

sweep barrer *[barrer]*

sweet caramelo; dulce *[karamelo]; [dulsay]*

swim nadar *[nadar]*

swimming costume bañador *[banyador]*

swimming pool piscina *[pisseena]*

swimsuit traje de baño *[trahe de banyo]*

switch interruptor *[interruptor]*

switch off apagar *[apagar]*

sympathy simpatía *[simpatee-a]*

table mesa *[mesa]*

table cloth mantel *[mantel]*

take off despegar *[despegar]*

take out sacar *[sakar]*

tall alto/-a *[alto/-a]*

tampon tampón *[tampon]*

tank depósito *[deposito]*

tap grifo *[greefo]*

taste gusto *[gusto]*

taste sabor *[sabor]*

tavern taberna *[taberna]*

teach enseñar *[ensenyar]*

teacher maestro/-a, profesor/-a *[maystro/-a], [profesor/-a]*

team equipo *[ekeepo]*

teapot tetera *[tetera]*

telegram telegrama *[telegrama]*

tenant inquilino *[inkileeno]*

terrace terraza *[terrasa]*

thank agradecer *[agradeser]*

thanks gracias *[grasee-as]*

then luego *[lwaygo]*

there ahí; allá; allí *[a-ee], [aya]; [ayee]*

thermometer termómetro *[termometro]*

thief ladrón/-a *[ladron/-a]*

thigh muslo *[muslo]*

thin delgado/-a, flaco/-a *[delgado/-a], [flako/-a]*

thing cosa *[kosa]*

think pensar *[pensar]*

thirst sed *[sed]*

thread hilo *[eelo]*

threaten amenazar *[amenasar]*

throat garganta *[garganta]*

throw echar *[echar]*

tide marea *[maray-a]*

tight estrecho/-a *[estrecho/-a]*

tights medias *[medee-as]*

time tiempo *[tee-empa]*

tired cansado/-a *[kansado/-a]*

to a *[a]*

tobacco tabaco *[tabako]*

today hoy *[oy]*

toe dedo (pie) *[dedo]*

toilet servicio, aseo *[servisee-o], [asay-o]*

toilet bag neceser *[neseser]*

token ficha *[feecha]*

toll peaje *[pe-ahe]*

tomb tumba *[tumba]*

tomorrow mañana (día siguiente) *[manyana]*

tongue lengua *[lengwa]*

too much demasiado *[demasee-ado]*

tooth diente *[dee-ente]*

toothbrush cepillo (dientes) *[sepeeyo]*

touch tacto *[takto]*

towards hacia *[asee-a]*

towel toalla *[towaya]*

toy juguete *[hugete]*

Essential Dictionary

traffic jam atasco (tráfico) *[atasko (trafiko)]*
traffic light semáforo *[semaforo]*
train tren *[tren]*
tram tranvía *[tranvee-a]*
transfer transferencia *[transferensee-a]*
transfusion transfusión *[transfoosion]*
translate traducir *[tradooseer]*
travel pass abono (transporte) *[abono]*
tree árbol *[arbol]*
trial juicio *[hoo-isio]*
tribunal tribunal *[triboonal]*
tropical tropical *[tropikal]*
trousers pantalón *[pantalon]*
truth verdad *[verdad]*
try probar (comida) *[probar]*
t-shirt camiseta *[kameeseta]*
tunnel túnel *[tunel]*
type tipo *[teepo]*
tyre neumático *[noomatiko]*

U

ulcer úlcera *[ulsera]*
umbrella paraguas *[paragwas]*
uncle tío *[tee-o]*
uncomfortable incómodo/-a *[inkomodo/-a]*
underground subterráneo *[subterrane-o]*
underpants calzoncillo *[kalsonseeyos]*
understand comprender, entender *[komprender], [entender]*
undertow resaca *[resaka]*
underwear ropa interior *[ropa interee-or]*

unequal desigual *[desigwal]*
university universidad *[ooniversidad]*
university student universitario/-a *[ooniversitaree-o/-a]*
unjust injusto/-a *[inhusto/-a]*
unknown desconocido/-a *[deskonoseedo]*
unmissable imperdible *[imperdible]*
until hasta *[asta]*
urgent urgente *[urhente]*
us nosotros/-as *[nosotros/-as]*
use usar *[oosar]*
used usado/-a *[oosado/-a]*
useful útil *[ooteel]*
useless inútil *[inooteel]*

V

vaccinate vacunar *[vakoonar]*
vaccine vacuna *[vakoona]*
valley valle *[va-yay]*
valuable valioso/-a *[valee-oso/-a]*
vehicle vehículo *[ve-eekulo]*
velvet terciopelo *[tersee-opelo]*
very muy *[mwee]*
view vista *[vista]*
vigilance vigilancia *[vihilansee-a]*
village pueblo *[pweblo]*
visa visado *[visado]*
visit visita *[viseeta]*
voice voz *[vos]*
voltage voltaje *[voltahe]*
vomit vomitar *[vomitar]*

W

wage sueldo *[sweldo]*

waist cintura *[sintura]*
waiter/waitress camarero/-a *[kamarero/-a]*
waiting room sala de espera *[sala de espera]*
wake up despertar(se) *[despertar(se)]*
walk andar *[andar]*
wall pared *[pared]*
wallet cartera (billetero) *[kartera]*
war guerra *[gerra]*
wardrobe armario *[armaree-o]*
warning aviso *[aveeso]*
washbasin lavabo *[lavabo]*
washing machine lavadora *[lavadora]*
wasp avispa *[avispa]*
waste paper bin papelera *[papelera]*
watch reloj *[reloh]*
water agua *[agwa]*
water proof impermeable *[imperme-able]*
wave ola *[ola]*
way camino; sentido (dirección) *[kameeno]; [senteedo]*
weak débil *[debil]*
week semana *[semana]*
well bien *[bee-en]*
well-behaved educado/-a *[edukado/-a]*
West Oeste *[o-este]*
what qué *[kay]*
wheel rueda *[roo-eda]*
when cuándo *[kwando]*
where dónde *[donde]*
which cuál *[kwal]*
why por qué; cómo *[por ke], [komo]*
wide ancho/-a *[ancho/-a]*
widow/er viuda/o *[vi-yooda]*
win ganar *[ganar]*

wild salvaje *[salvahe]*
willing dispuesto/-a *[dispwesto/-a]*
window ventana *[ventana]*
wine vino *[veeno]*
wine cellar bodega *[bodega]*
wire alambre *[alambre]*
wise sabio *[sabee-o]*
with con *[kon]*
with me conmigo *[konmeego]*
woman mujer *[mooher]*
wood bosque; leña; madera *[boskay]; [lenya]; [madera]*
wool lana *[lana]*
word palabra *[palabra]*
work obra; trabajo *[obra]; [trabaho]*
work funcionar; trabajar *[funsionar]; [trabahar]*
worker trabajador/-a *[trabahador/-a]*
worried preocupado/-a *[pre-okupado]*
worry preocupación *[pre-okupasion]*
worsen empeorar *[emp-eorar]*
wound llaga *[yaga]*
wrap envolver *[envolver]*
write escribir *[eskribeer]*
wrong equivocado/-a *[ekivokado/-a]*

Y

yacht yate *[yatay]*
yes sí *[see]*
yesterday ayer *[ayer]*
you tú, usted/-es, vosotros/-as *[tu], [usted/-es], [vosotros/-as]*
young joven *[hoven]*
young boy/girl niño/-a *[neenyo/-a]*

Essential Dictionary

young man/woman chico/-a
[cheeko/-a]
your suyo/-a,-os,-as; tuyo/-a,-os,-as; vuestro/-a,-os,-as *[suyo/-a,-o,-as]; [tuyo/-a,-os,-as]; [vwestro/-a,-os,-as]*

zone zona *[sona]*
zoo zoológico *[sooloheeko]*

a to
abajo down
abandonar to leave
abeja bee
abierto open
abogado lawyer
abono (transportes) travel pass
abrelatas can opener
abrigo overcoat
abrir to open
abuelo/-a grandfather, grandmother
aburrido/-a bored
acabar to finish
acampar to camp
accidente accident
acento accent
aceptar to accept
acera pavement
ácido/-a acid
acompañar to accompany
acostarse to go to bed
acostumbrado/-a accustomed to
adelante forward
además also
admitir to admit
afeitarse to shave
aficionado/-a fan
afortunadamente fortunately
afueras outskirts
agencia agency
agradable pleasant
agradecer to thank
agua water
aguja needle
agujero hole
ahí there
ahogarse to drown
ahora now
aire air

alambre wire
alarma alarm
alcanzar to reach
alcohol alcohol
alegre happy
alfabeto alphabet
alfiler needle
alfombra rug
algo something
algodón cotton
alguien someone
alguno/-a one
alimento food
almohada pillow
alojamiento lodging
alquilar to rent
alquiler rent
alrededor around
altar altar
alto/-a tall
altura height
alumno/-a pupil/student
allá, allí there
amable friendly
amanecer dawn
amar to love
amargo/-a bitter
ambulancia ambulance
amenazar to threaten
amigo/-a friend
amor love
amortiguador shock absorber
analgésico analgesic
ancho/-a wide
anciano/-a old
andar to walk
anillo ring
animal animal
anoche last night
anochecer to get dark
ansioso/-a anxious
antebrazo forearm
antena antenna

Essential Dictionary

anterior previous
antes before
anticuario antique dealer
antiguo/-a old
anuncio advertisement
apagar to switch off
aparcamiento car park
aparcar to park
apartamento flat
apellido surname
aplaudir to applaud
aplazar to postpone
apostar to bet
aprender to learn
aproximadamente approximately
aquí here
araña spider
árbol tree
arco arch
arena sand
armario wardrobe
arreglar to mend
arriba above
arroz rice
arte art
artificial artificial
artista artist
ascensor lift
asegurar to insure
aseo(s) toilet(s)
asesinar to kill
asiento seat
asistir to attend
áspero/-a rough
aspirina aspirin
asustar to scare
atardecer to get dark
atasco (tráfico) traffic jam
aterrizar to land
atraco robbery
atrás behind
atrasar to delay
ausente absent

autobús bus
autocar tram
autopista motorway
autoridad authority
autoservicio self-service
avanzar to advance
avenida avenue
avergonzado/-a ashamed
avería breakdown
aviso warning
avispa wasp
ayer yesterday
ayuda help
ayudar to help

B

bahía bay
bailar to dance
baile dance
bajar to reduce
bajo/-a low
balcón balcony
banco (finanzas) bank
banco (asiento) bench
bañador swimming costume
bañarse to bathe
bañera bath
barandilla handrail
barato/-a cheap
barba beard
barrer to sweep
barrio neighbourhood
bastante enough
basura rubbish
batalla battle
batería battery
beber to drink
beneficio benefit
beso kiss
biblioteca library

bicho insect
bicicleta bicycle
bidé bidet
bien well
bigote moustache
blando/-a soft
blusa blouse
boca mouth
bodega wine cellar
bolígrafo pen
bolsa bag
bolsillo pocket
bolso bag
bomba bomb
bombero fireman
bombilla bulb
borracho/-a drunk
bosque wood
bote can
botella bottle
botiquín first-aid kit
botón button
bragas knickers
brazo arm
broche brooch
broma joke
bronceador sun tan lotion
brújula compass
bueno/-a good
bufanda scarf
buscar to look for
buzón post box

caballero gentleman
caballo horse
cabello hair
cabeza head
cabina (teléfono) booth
cable cable

cadera hip
caer(se) to fall
café coffee
cafetera coffee pot
cafetería café
caja box
cajón drawer
calcetines socks
calculadora calculator
calefacción heating
calendario calendar
calentar to heat
calidad quality
caliente hot
calor heat
calzoncillo underpants
calle street
cama bed
camarero/-a waiter/ess
camarote cabin
cambiar to change
cambio change
camino way
camión lorry
camisa shirt
camiseta t-shirt
campana bell
campesino/-a country dweller
campo country/field
canal canal
canción song
cansado/-a tired
cantante singer
cantar to sing
cantidad quantity
capilla chapel
capital capital
cara face
caro/-a expensive
caramelo sweet
carbón coal
cárcel prison
carne meat

Essential Dictionary

carnicería butcher's shop
carnet licence, card
carrete (fotos) roll, film
carretera road
carta (restaurante; escrito) menu; letter
cartera (billetero; maletín) wallet; case
cartero/-a (profesión) postman
casa house
casado/-a married
casarse to get married
castaño (árbol) chestnut
castaño/-a chestnut-brown
castigar to punish
castillo castle
catálogo catalogue
catarro cold
catedral cathedral
católico/-a catholic
caza game
cementerio cemetery
ceja eye brow
cena dinner
cenar to dine
cenicero ashtray
cepillo (dientes; pelo) toothbrush; hairbrush
cercano/-a near
cerdo pig, pork
cerebro brain
cerilla match
cerradura lock
cerrar(se) to close
cerveza beer
champú shampoo
chaqueta jacket
chaquetón long jacket
charlar to chat
chicle chewing gum
chico/-a young man/woman
chillar to scream
choque clash

cicatriz scar
ciego/-a blind
cielo sky
ciencia science
cima peak
cintura waist
cinturón belt
círculo circle
cita (romántica; negocios) date; appointment
ciudad city
cobrador person who charges money
cocina kitchen
coche car
codo elbow
coger to get
cola (fila) queue
colcha bedspread
colchón mattress
colegio college
colgante pendant
collar necklace
comedor dining room
comenzar to begin
comer to eat
cómico/-a comic
comida food
cómo how, why
comisaría police station
comodidad comfortableness
cómodo/-a comfortable
compañía company
complicado/-a complicated
comprar to buy
comprender to understand
compresa sanitary towel
común common
con with
concierto concert
condenar condemn
condición condition
condón condom

Spanish-English

conducir to drive
conferencia conference
confuso/-a confused
congelado/-a frozen
congreso congress
conmigo with me
conocer to know
conseguir to get
consejo advice
consigna left luggage
constipado (enfermedad) cold
cónsul consul
contagioso/-a contagious
contar to count
contento/-a content
contestación answer
continuar to continue
conversación conversation
copa glass
corazón heart
corcho cork
correr to run
cortar to cut
cortina curtain
cosa thing
coser to sew
costa coast
costar to cost
costumbre costume
creer to believe
crema cream
cristiano Christian
cruce crossroads
cruz cross
cruzar to cross
cuaderno notebook
cuadro (pintura) painting
cuál which
cuándo when
cuánto how much
cuarto de baño bathroom
cucaracha cockroach
cuchara spoon

cuchillo knife
cuello neck
cuenta account/bill
cuerda cord
cuerpo body
cuidar to care for
culebra snake
culo bottom
culpa blame
cultura culture
cumpleaños birthday
cuna crib
curva bend
cura (religioso) priest
curar to cure
curarse to get better, recover

D

danza dance
daño damage
dar to give
debajo below
deber to owe
débil weak
decidir to decide
decir to say
decisión decision
declarar to declare
dedo (mano; pie) finger; toe
dejar to leave
delante in front
delgado/-a thin
demasiado too much
democracia democracy
dentadura set of teeth
dentro inside
denunciar to report
dependiente assistant
depósito tank
derecho/-a right

Essential Dictionary

derechos rights
desagradable disagreeable
desagüe drain
desayunar to have breakfast
desayuno breakfast
descansar to rest
desconocido/-a unknown
describir to describe
descuento discount
desear to desire
deseo desire
desgracia misfortune
desierto dessert
desigual unequal
desmayarse to faint
desmayo faint
desnudo/-a (adj.) naked
despacio slow
despedir to say goodbye
despegar to take off
despertador alarm clock
despertar(se) to wake up
despierto awake
detalle detail
detenerse to detain
detenido/-a detained
detrás behind
deuda debt
día day
diario diary
diarrea diarrhoea
dibujar to draw
diccionario dictionary
diente tooth
diferencia difference
difícil dificult
dinero money
dios god
dirección address
director director
dirigir to direct
disco disk
disculpa to forgive

disfrutar to enjoy
disgustar to displease
disparo shot
disponible available
dispuesto/-a willing
distinto/-a different from
distrito district
diversión diversion
divertido/-a entertaining
divertirse to enjoy yourself
dividir to divide
divisa money
divorcio divorce
doble double
doctor/-a doctor
documentación official papers
documento document
doler to hurt
dolor pain
doloroso/-a painful
domicilio home
dónde where
dormir to sleep
dormitorio bedroom
droga drug
ducha shower
dueño/-a owner
dulce sweet
durar to last
duro/-a hard

E

echar to throw
echar de menos to miss
edad age
edificio building
edredón duvet
educación manners/education
educado/-a well-behaved
ejemplo example

ejercicio exercise
ejército army
él he
elección choice
electricidad electricity
electrodoméstico domestic appliance
elegir to choose
ella she
embajada embassy
embalaje packing
embarcarse to board
emborracharse to get drunk
emoción emotion
empeorar to worsen
empezar to begin
empleado/-a employee
empleo employment
empujar to push
en in
encantado/-a pleased
encargado/-a (adj.) responsible for
encendedor lighter
encender to light
encima (de) on top of
encontrar to meet
encuentro meeting
enchufe plug
enemigo/-a enemy
energía energy
enfadado/-a angry
enfermedad illness
enfermero/-a nurse
enfermo/-a ill
enfrente in front of
engañar to deceive
engaño deception
engordar to get fat
engrasar to grease
enseñar to teach
entender to understand
enterarse to find out
entero/-a entire

entierro burial
entreacto interval
entregar to deliver
entrevista interview
enviar to send
envolver to wrap
equipo team
equivocado/-a wrong
equivocar to make a mistake
error error
escalera stairs
escaparate shop window
escaso/-a scarce
escena scene
escoba mop
escoger to choose
escribir to write
escuchar to listen
escuela school
espacio space
espalda back
especial special
especialidad speciality
espectáculo show
espejo mirror
esperanza hope
esperar to hope
espina spine/bone
esquina corner
estación station
estafa fraud
estar to be
estatua statue
este east
estómago stomach
estrecho/-a tight
estrella star
estreñimiento constipation
estropear to mess up
estudiante student
estudiar to study
estúpido/-a stupid
etiqueta label

Essential Dictionary

evitar to avoid
exacto/-a exact
examen exam
excelente excellent
excepto except
excursión excursion
excusa excuse
éxito success
explicar to explain
exposición exhibition
extranjero/-a foreigner
extraño/-a strange

fábrica factory
fácil easy
falda skirt
falso/-a false
familia family
farmacia Chemist´s
feliz happy
ficha token
fiebre fever
fiesta party
fin end
firmar to sign
flaco/-a thin
flor flower
fondo bottom
forma form
fotografía photography
frecuente frequent
fregona brush
freno brake
frente (parte de la cara) forehead
frío cold
frontera frontier
fruta fruit
frutería grocer´s
fuego fire

fuente fountain/source
fuerte strong
fuerza strength
fumar to smoke
función function
funcionar to work
fútbol football
futuro future

gabardina overcoat
gafas glasses
galería gallery
ganar to win
ganas (deseo) desire
garantizado/-a guaranteed
garganta throat
gas gas
gastar to spend
gastos costs
gato cat
generoso/-a generous
genitales genitals
gente people
geografía geography
gimnasio gymnasium
glúteo(s) buttocks
gobierno government
golpe blow
golpear to hit
gordo/-a fat
gorra beret
gorro cap
gota drop
gracias thanks
gracioso/-a funny
grande big
granizar to hail
granizo hail stones
grifo tap

gripe flu
grito shout
grosero/-a gross
grupo group
guante glove
guapo/-a good-looking
guardar to keep
guardia guard
guerra war
guitarra guitar
gustar to like
gusto taste

H

haber to have
habitación room
habitante inhabitant
hablar to speak
hacer to make/do
hacia towards
hambre hunger
hasta until
helicóptero helicopter
herencia inheritance
herida injury
héroe hero
hielo ice
hierba grass
hierro iron
hígado liver
hijo/-a son/daughter
hilo thread
hispanoamericano South American
historia history
hoja (papel) leaf
hombre man
hombro shoulder
homicidio murder
hondo/-a deep

honrado/-a honoured
hora hour
hormiga ant
horno oven
hospedaje hosting
hospital hospital
hospitalidad hospitality
hoy today
huelga strike
hueso bone
huida flight
humano/-a human
húmedo humid
humo steam
huracán hurricane

I

idea idea
identificación identification
idioma language
idiota idiot
iglesia church
igual equal
ilegal illegal
imaginación imagination
imitación imitation
imperdible unmissable
impermeable water proof
importante important
incendio fire
incidente incident
incluido/-a included
incoloro colourless
incómodo/-a uncomfortable
incompleto/-a incomplete
indemnización compensation
independencia independence
indicar to indicate
indigestión indigestion
individuo individual

Essential Dictionary

injusto/-a unjust
inmigración immigration
inocente innocent
inquilino tenant
insecto insect
inspeccionar to inspect
inspector/-a inspector
instituto institute
intelectual intelectual
inteligente intelligent
intenso/-a intense
interpretar to interpret
intérprete interpreter
interruptor switch
inundación flood
inútil useless
invalidez invalidity
inventario inventory
investigar to investigate
inyección injection
ir to go
irritar to irritate
isla island
izquierdo/-a left

jabón soap
jamás never
jardín garden
jefe boss
jersey jersey
joven young
joya jewel
juego game
juez judge
jugar to play
juguete toy
juicio trial
justicia justice
justo/-a just

juvenil juvenile
juzgar to judge

kilo kilo

labio lip
ladrón/-a thief
lagarto lizard
lago lake
lamentar to lament
lámpara lamp
lana wool
langosta lobster
lápiz pencil
largo/-a long
lavabo washbasin
lavadora washing machine
lavandería launderette
lavar(se) to get washed
laxante laxative
lección lesson
leche milk
leer to read
lejía bleach
lejos far
lencería lingerie
lengua tongue
lentes de contacto contact lenses
lento/-a slow
leña wood
letrero sign/notice
levantarse to get up
ley law
leyenda legend
libertad liberty
libre free

librería book shop
libreta book
libro book
licencia licence
licor liquor
ligero/-a light
límite limit
limpiar to clean
limpio/-a clean
linterna lantern
liso/-a flat
lista list
litera bunk bed
llaga wound
llama (fuego) flame
llamar por teléfono (telefonear) to call
llamar(se) to be called
llanura slot
llave key
llegada arrival
llegar to arrive
llenar to fill
llevar to carry
llorar to cry
llover to rain
lluvia rain
lluvioso/-a rainy
loco/-a mad
locomotora locomotive
luego then
lugar place
lujoso/-a luxurious
luna moon
luto mourning
luz light

M

madera wood
madre mother

madrugar to get up early
maestro/-a teacher
magnífico/-a magnificent
mal bad
maleta suitcase
maletín briefcase
malo/-a bad
manantial spring
mancha stain
mandar to order
manga sleeve
manivela crank
mano hand
manta blanket
mantel table cloth
mañana (parte del día; adv.) morning; tomorrow
mapa map
mar sea
marca brand
marchar to go/leave
marea tide
mareado/-a dizzy
mariposa butterfly
mármol marble
martillo hammer
más more
masaje massage
matar to kill
material material
matrícula registration number
mausoleo mausoleum
mayor bigger
mayoría majority
mechero lighter
medias tights
medicina medicine
médico/-a doctor
medida measure
mejilla cheek
mejor better
mejorar to improve
mendigo beggar

Essential Dictionary

menos less
menor smaller
mensaje message
mentir to lie
mentira lie
mercado market
merienda mid-morning snack
mesa table
metal metal
meter to put
mezclado/-a mixed
mezquita mosque
miedo fear
miembro (parte de un grupo) member
mientras meanwhile
minuto minute
mío/-a,-os,-as my
mirar to look
misa mass
mitad half
mochila rucksack
moda fashion
mojado/-a moist
molestar to bother
molestia annoyance
momento moment
moneda coin
montaña mountain
monte mountain
montura (caballo; gafas) riding; frame
monumento monument
mordisco bite
moreno/-a dark
morir to die
mosaico mosaic
mosca fly
mosquito mosquito
mostrador counter
moto motorbike
motor motor
mover to move

muchacho/-a boy/girl
mucho/-a a lot
mueble piece of furniture
muela pier
muelle spring
muerto/-a dead
mujer woman
multa fine
muñeco/-a (juguete) doll
músculo muscle
música music
músico/-a (profesión) musician
muslo thigh
muy very

N

nacer to be born
nación nation
nacionalidad nationality
nada nothing
nadar to swim
nadie nobody
nalga buttock
nariz nose
naranja orange
navegar to sail
necesidad necessity
necesario necessary
neceser toilet bag
negocio business
negro/-a black
nervio nerve
nervioso/-a nervous
neumático tyre
nevar to snow
nieve snow
niebla fog
nieto/-a grandson/daughter
ninguno/-a none
niño/-a young boy/girl

nivel level
no no
noche night
Nochebuena Christmas Eve
Nochevieja New Year´s Eve
nombre name
normal normal
norte north
nosotros/-as us
noticia news
novela novel
novio/-a boy/girlfriend
nube cloud
nublado/-a cloudy
nudista nudist
nuestro/-a,-os,-as our
nuevo/-a new
número number
nunca never

o or
oasis oasis
objeto object
obligatorio/-a obligatory
obra work
obra de teatro play
obsequio request
observatorio observatory
obtener to obtain
ocasión occasion
océano ocean
ocupado/-a occupied
odiar to hate
Oeste West
oficina office
oficina de información
information office
oído ear
oír to hear

ojal buttonhole
ojo eye
ola wave
oler to smell
olfato smell
olvidar to forget
ópera opera
óptica (tienda) opticians
opuesto/-a opposite
oración prayer
oreja ear
órgano (parte del cuerpo) organ
orgulloso/-a proud
orquesta orchestra
orquídea orchid
oscuro/-a dark
oso bear
otro/-a other
oveja sheep
oxígeno oxygen

o or
oasis oasis
objeto object
obligatorio/-a obligatory
obra work
obra de teatro play
obsequio request
observatorio observatory
obtener to obtain
ocasión occasion
océano ocean
ocupado/-a occupied
odiar to hate
Oeste West
oficina office
oficina de información
information office
oído ear
oír to hear

pabellón pavillion
paciencia patience
paciente patient
padre father
pagar to pay
página page
país country
pájaro bird
palabra word
palacio palace
pálido/-a pale
palmera palm/palm tree
palo pole
paloma pigeon
pan bread
panadería bread shop
pantalón trousers
pantano reservoir

Essential Dictionary

pañuelo handkerchief
papel paper
papelera waste paper bin
papelería stationery shop
papeles (documentos) official papers
paquete packet
para for
paraguas umbrella
parar to stop
parecer to seem
pared wall
pareja couple
parque park
pasaje passage
pasaporte passport
pasear to stroll
pasillo aisle
pastelería cake shop
pastilla pill
patio de butacas seating area
patrulla patrol
paz peace
peaje toll
peatón pedestrian
pecho chest
pedir to ask for
pegar (golpear) to hit
peinado hair style
peine comb
película film
peligro danger
pelirrojo/-a redhead
pelo hair
pelota ball
pelvis pelvis
pendientes earings
península peninsula
pensar to think
pensión pension
pequeño/-a small
percha coat hanger
perder to lose
perdido/-a lost

perfecto/-a perfect
periódico newspaper
permanecer to remain
permiso permission
permitir to permit
pero but
perro dog
perseguir to follow
persiana blinds
persona person
pertenecer to belong to
pesado/-a heavy
pesca fishing
pescadería fish shop
pescado fish
pescar to fish
pestaña eye lash
petróleo oil; petroleum
pez fish
picadura bite; sting
pie foot
piedra stone
pierna leg
pijama pyjamas
pila battery
píldora pill
piloto pilot
pinchar(se) to pinch
pinchazo pinch
pintar to paint
pintura painting
piscina swimming pool
piso (vivienda) flat
pistola pistol
plancha (de ropa) iron
planchar to iron
plano map
planta (piso) floor
plato plate
playa beach
plaza place
pobre poor
poco (adv.) little; not much
poco/a (adj.) few; little

policía police
polvo (suciedad) dust
pomada ointment
poner(se) to put
portal doorway
portero/-a concierge
precio price
precioso/-a beautiful
preferir to prefer
pregunta question
premio prize
preocupación worry
preocupado/-a worried
preservativo condom
primo/-a cousin
probar (comida) to try
problema problem
profesión profession
profesor/-a teacher
profundo/-a deep
prohibido forbidden
pronto soon
pronunciar to pronounce
propietario/-a owner
protección protection
provincia province
próximo/-a close
pueblo village
puente bridge
puerta door
pulmón lung
pulsera bracelet
puro/-a pure

qué what
quemadura burn
quemar to burn
querer to love
queso cheese

quirófano operating theatre
quitamanchas stain remover
quitar(se) to remove

radio radio
rápido/-a rapid
raro/-a rare
rascacielos skyscraper
rasguño scratch
rata rat
ratón mouse
rayo ray
raza race
razón reason
rebaja reduction
recado message
receta recipe
recibir to receive
recibo receipt
reclamar to complain
recoger to collect
recordar to remember
recuerdo reminder
rechazar to refuse
reembolso to reimburse
refresco soft drink
refugio refuge
regalo present
régimen diet
reglamento regulations
reina queen
reír to laugh
relámpago lightning
religión religion
religioso/-a religious
reloj watch
repetir to repeat

Essential Dictionary

reportero/-a reporter
representante representative
resaca (alcohol) hangover
resaca (mar) undertow
resbaladizo slippery
resbalar to slip
reservar to reserve
resfriado (enfermedad) cold
residente resident
resolver to resolve
respiración breathing
respirar to breathe
responder to reply
responsabilidad responsibility
respuesta reply
resultado result
retrato portrait
revelar (fotografías) to develop
revisor inspector
revista magazine
rey king
rico rich
riñón kidney
río river
risa laugh
rizo curl
robo robbery
roca rock
rodilla knee
rompeolas breakwater
romper(se) to break
ropa clothes
ropa interior underwear
roto/-a broken
rubio/-a blonde
rueda wheel
ruido noise
ruidoso/-a noisy
ruina ruin
rural rural
ruta route

S

sábana sheet
saber to know
sabio wise
sabor taste
sacacorchos corkscrew
sacar to take out
sacerdote priest
saco de dormir sleeping bag
sala de espera waiting room
salir to go out
saltar to jump
salud health
saludar to greet
saludo greeting
salvaje wild
salvar to save
salvavidas life jacket
sangre blood
sartén frying pan
secador de pelo hair dryer
secar(se) to dry
seco/-a dry
sed thirst
seguir to follow
seguridad safety
selva jungle
sello stamp
semáforo traffic light
semana week
semejante similar
sencillo simple
sentarse to sit down
sentido (dirección) way
sentir to feel
señal (circulación) road sign
ser to be
serpiente snake
servicio toilet
servicio (hotel o restaurante) service

Spanish-English

servilleta napkin
servir to serve
sesión session
sexo sex
si if
sí yes
siempre always
siglo century
siguiente next
silencio silence
silla chair
simpatía sympathy
simpático/-a nice
sincero sincere
sol sun
sólido solid
soltero/-a single
sombra shadow/shade
sombrero hat
sonar (tocar) to sound
sonido sound
sonrisa smile
sopa soup
sordo/-a deaf
sortija ring
sostén (sujetador) bra
suave smooth
subir to go up
subterráneo underground
suburbio suburb
sucio/-a dirty
sudor sweat
suegro/-a father; mother-in-law
sueldo wage; salary
suelo floor
suerte luck
suicidio suicide
sujetador (sostén) bra
sumar to add
sumergir submerge
supermercado supermarket
sur South
suyo/-a,-os,-as your

T

tabaco tobacco
taberna tavern
tabique partition
tacón heel
tacto touch
tampón tampon
tapa lid; cover; snack
tardar to get late
tarde (parte del día; adv.)
afternoon; late
taza cup
techo roof; ceiling
tejado roof
tela cloth
telegrama telegram
tempestad storm
temprano early
tenedor fork
tener to have
teñir to dye
terciopelo velvet
terminar to finish
termómetro thermometer
terraza terrace
tetera teapot
tiempo time
tienda shop
tierra earth
tieso/-a stiff
tijeras scissors
tímido/-a shy
tinta ink
tío/-a (pariente) uncle/aunt
tipo type
toalla towel
tobillo ankle
todo/-a all
tonto/-a silly
tornillo screw
tos cough

Essential Dictionary

trabajador/-a worker
trabajar to work
trabajo work
traducir to translate
traer to bring
traje suit
traje de baño swimsuit
traje de noche evening dress
trámite step
transferencia transfer
tranquilo/-a quiet
transbordador interchange
transfusión transfusion
tranvía tram
tren train
tribunal tribunal
tripa intestines/guts
triste sad
tropical tropical
tú you
tubería pipes
tumba tomb
túnel tunnel
tuyo/-a,-os,-as your

úlcera ulcer
último/-a last
universidad university
universitario/-a university
student
uña nail
urbanización housing
development
urgencias emergency
urgente urgent
usado/-a used
usar to use
usted/-es you
útil useful

vaca cow
vacaciones holidays
vacío empty
vacuna vaccine
vacunar to vaccinate
vajilla china/dishes
valiente brave
valioso/-a valuable
valle valley
vapor steam
vaso glass
váter toilet
vehículo vehicle
vela candle
velocidad speed
vendaje bandage
vendedor/-a seller
vender to sell
veneno poison
venta sales
venta ambulante door-to-door
selling
ventana window
ventilador fan
ver to see
verdad truth
vestido dress
viejo/-a old
vigilancia vigilance
vigilante guard
vino wine
visado visa
visillo net curtain
visita visit
vista view
viuda/-o widow/-er
vivir to live
volante steering wheel
volar to fly
volcar to overturn

Spanish-English

voltaje voltage
volver to return
vomitar to vomit
vosotros/-as you
voz voice
vuelo flight
vuelta return
vuelta (dinero) change
vuestro/-a,-os,-as your

yate yacht

yegua mare
yo I
yodo iodine

zapatilla slippers
zapato shoe
zarpar to anchor
zona zone
zoológico zoo
zurdo/-a left